20

LES INFLUENCES

On a souvent coutume de dire qu'Élie a inventé un nouveau genre d'humour. Que son comique n'appartenait qu'à lui.

Je ne pousserai pas de cris d'orfraie à la lecture de ces compliments. Car au-delà de notre proximité, du lien qui nous unit et qui lui confère un caractère unique entre tous, j'ai pris le temps d'analyser la singularité de son esprit. Selon moi, la force comique d'Élie réside dans trois éléments : les costumes, tout d'abord. Dès son apparition sur scène, en un instant, on sait dans quel registre on est. La situation est posée dès le départ. En deuxième lieu : les mimiques. Élie peut se montrer sans piper mot pendant longtemps. D'un regard, d'un geste, d'un mouvement d'épaule, il déclenche l'hilarité du public. Certains sketches, d'ailleurs, comme celui où il campe un oiseau, ne reposent que sur le mime. Dernier élément : les textes, pour lesquels le phrasé, les expressions, la diction complètent parfaitement le reste.

À ma connaissance, aucun humoriste français contemporain d'Élie ne remplit ces trois conditions.

— Je n'ai pas encore trouvé quelqu'un qui arrive vraiment à me faire rire. Alors je suis obligé de me divertir tout seul. C'est sans doute ce qui m'a poussé à faire ce métier, avoue-t-il.

Il ne se reconnaît dans aucune famille du spectacle. Il se présente comme un artiste hybride, entre le transformiste, le mime et l'imitateur. Les comiques dont il se sent le plus proche ne sont-ils pas Fernandel, Louis de Funès et Bourvil ? Dans les trois cas, la force expressive du visage est l'un des ressorts du burlesque. Un élément moteur du rire.

Plus proche de notre ère et pour les mêmes raisons, il voue une immense admiration à Jango Edwards, que les jeunes générations ne connaissent que pour avoir été le « fermier de la télé ». Un clown tout-terrain, tout droit sorti d'un cirque. Comme un Barrios (ces clowns mythiques de « La Piste aux étoiles ») déjanté. Un tempérament à la folie tapageuse, ravageuse et communicative. Élie envie certainement un peu cette extraversion. Ah, le pouvoir de ruiner un plateau de télévision en le tapissant de mousse à raser ou de confettis !

Un autre Anglo-saxon à l'allure singulière le fascine : Rowan Atkinson, *alias* Mister Bean. Son physique hors norme, comme un Fernandel des temps modernes mâtiné d'un burlesque tout britannique, ne peut le laisser indifférent. Élie apprécie les artistes qui manipulent le comique de situation comme personne. Comme des égarés de « Vidéo Gag » (une émission qu'il regarde volontiers, même à l'hôtel), plongés dans leur propre univers absurde.

Parmi les Français, la personnalité qui le fait le plus rire est sans conteste Valérie Lemercier. Il lui voue une admiration sans limite. Il se reconnaît un peu dans son sens aigu de l'observation d'un univers, certes différent du sien, mais croqué si drôlement, si finement. Autres racines, autres situations, autres personnages – mais un pouvoir comique puissant.

Par la force des choses, Élie entretient des rapports étroits avec d'autres humoristes. Ses relations avec

certains d'entre eux sont très sincères, mais son entourage est celui de son travail. Il est devenu une sorte de patriarche, régnant en maître sur une petite troupe dont il ne se sépare que pour dormir. Une fois son cercle constitué, il reste peu de place pour les autres. Les personnes qui l'entourent ont plusieurs cordes à leur arc, endossent plusieurs fonctions. Il y voit un gage de stabilité.

Enfant de la télé, fils du Club, il n'a jamais transcrit les textes de ses sketches. Pour la mise en forme de son premier spectacle, un ami, Georges Akouka (dont les professionnels se demandent parfois qui se cache sous ce pseudonyme), lui file un gros coup de main. Puis Georges part vivre d'autres aventures. Élie continue à absorber la vie des autres, à tester de nouveaux personnages, comme celui de Fortunée. Mais il a un mal fou à formaliser. C'est pourquoi l'écriture de son second spectacle prend plus de temps que de raison. Il possède en lui toute la substance d'un nouveau projet, mais l'écriture peine à suivre les délires de son imagination. Quand il faut choisir les costumes, les accessoires et mettre en scène, l'accouchement est infiniment moins douloureux. Tout est plié au carré dans son esprit. Il lui suffit de fermer les yeux pour voir défiler le fruit de sa fantaisie. Les fidèles artisans de son succès, costumiers, décorateurs ou chorégraphes, sont connectés sur le même canal que lui. Inspiration Gaultier, ambiance souk de Marrakech.

Élie et Mattéo, son directeur artistique et ami, sont branchés sur les mêmes courants artistiques : la mode tendance polo marin à rayures, et la techno house qui nous mettait en transe. La musique de ses spectacles est composée sur mesure. Elle combine ses deux penchants. Les chorégraphies nerveuses, sur fond d'électronique, complètent les danses orientales, ventrues et lascives des femmes fortes.

Le défilé des femmes fortes illustre parfaitement l'osmose entre les deux compères. Le drapé, la chorégraphie, la couleur du tissu, jusqu'à sa texture, tout est imprimé au caractère près dans l'esprit d'Élie. Lorsque Mattéo lui présente le résultat au cours des premières répétitions en costumes, le rêve devient soudain réalité. Aussi formellement qu'il l'a conçu dans son esprit. D'un regard, Élie le remercie. Il vit pour ces moments de grâce. Si improbables que soient ses idées, celles-ci finissent toujours par se matérialiser grâce au talent de ses complices. Avec Mattéo, les séances de travail durent de minuit à 5 heures du matin. L'ambiance feutrée de la nuit encourage les mises en abyme, les dérapages saugrenus, que le réveil se charge de corriger. À la maison, mon frère écoute volontiers Véronique Sanson, sa grande amie, ou Madonna, chez qui on trouvera quelques inspirations en matière de costumes. Un jour, alors qu'il découvre un défilé de mode, la célèbre madone se trouve au premier rang. Fasciné par le personnage, Élie vainc sa timidité et la demande en mariage par l'entremise de son attachée de presse. N'était-elle pas libre à cette époque ? Toujours est-il que l'affaire ne s'est pas conclue. J'ajouterai qu'elle ne lui a même pas parlé… .

Autre grande amitié : celle qui le liait à Liane Foly. Boute-en-train, formidable imitatrice, interprète au charisme remarquable, elle avait en elle tout ce qui attirait Élie. Liane, Véronique, Pierre Palmade, voilà la bande d'Élie. Ils se retrouvaient à Paris épisodiquement, ou à Montréal, chaque année, pour le fameux festival « Juste pour rire ».

Le terme de spectacle vivant colle à la peau d'Élie : *« Mes histoires ne sont pas du papier musique. Pas question que je récite ma leçon alors que je m'efforce de faire vivre mes personnages »*, répète-t-il souvent.

Un gouffre sépare les premières représentations des suivantes. Une chorégraphie disparaît au profit d'un sketch. Telle partie s'allonge, telle autre s'insère.

Élie et son compositeur imaginent ainsi une séquence d'anthologie qui ne verra finalement pas le jour : il s'agit de former un genre de groupe rock avec les femmes fortes pour une reprise déjantée de « Lady Marmelade ». Qui ne se souvient pas du refrain ?

Voulez-vous coucher avec moi, ce soir, voulez-vous coucher avec moi ?

Mattéo, qu'Élie a voulu à tout prix entraîner devant le public de ses tournées, l'a déjà inspiré au moment de son passage au Déjazet. Dans ce spectacle, il parodie la célèbre chanson de Dalida, « Gigi l'Amoroso ». Au cours d'une répétition, Mattéo lui demande cinquante fois de respecter les pas et le rythme, qu'il a tendance à laisser dans l'ornière au fur et à mesure qu'il s'enhardit. Mattéo martèle ses ordres en frappant dans les mains comme un métronome. Le soir, Élie cligne un œil facétieux. Il vise les coulisses où son ami le suit avec appréhension, et joue la fin de l'air où il se fait réprimander en mimant un Mattéo plus vrai que nature. Parce que ce n'est pas son métier, la danse est la partie du spectacle qu'il travaille sans relâche, avec une assiduité qu'il n'a jamais montrée pour ses sketches. Si ses talents de conteur sont innés, les chorégraphies, en revanche, lui imposent une rigueur sans pareille.

21

Les fans

Malgré son succès foudroyant, Élie est extrêmement proche de ses fans. Certains peuvent encore en témoigner, comme Cindy. Elle commence à le suivre dès ses quatorze ans et leurs liens sont indéfectibles. Nous y reviendrons…

À l'époque du Point-Virgule, la notoriété d'Élie donne déjà lieu à des scènes de signatures inimaginables. Plus tard, lorsqu'il remplit des salles de 5 000 places, une foule compacte attend facilement l'heure nécessaire à Élie pour retomber sur terre, prendre une douche et s'habiller. Mon frère signe ensuite consciencieusement des brassées d'autographes, avec un petit mot pour chacun.

Pour donner une idée plus précise, un spectacle qui se termine à 22 h 30 le laisse rarement repartir avant 2 heures du matin. Laurence, en bonne gestionnaire, lui fait remarquer qu'il faut payer de nombreux suppléments pour l'intendance de la salle et les vigiles qui prolongent leur service. Élie ne lui permet pas de réitérer cette récrimination. Il est redevable de cette disponibilité au public. Aucune discussion possible.

Les paramètres s'ajustent. Pour se nourrir au milieu de la nuit dans une ville de moins de 100 000 habitants, Laurence doit dégoter un restaurant qui accepte de

recevoir la smala d'Élie (une trentaine de personnes environ), ou faire en sorte que des repas nous attendent dès notre retour à l'hôtel. Dans ce genre de circonstances, la popularité d'Élie est un atout formidable. Les serveurs, jusqu'au bout de la nuit, nous accueillent sous les applaudissements.

Certains fans, par leur assiduité, conquièrent l'affection d'Élie. Une dizaine, pas plus. D'irréductibles groupies à l'image de leur idole : discrets et respectueux. Ils suivent les tournées, ne manquent aucun spectacle, aucune date. Élie met un point d'honneur à ce que leur ferveur soit récompensée. Il les reçoit à tour de rôle dans la loge, cet endroit mystérieux où tant de drames, tant de ventres, tant de gorges se nouent. Un lieu intime dont il prête les clés.

Ce petit noyau est principalement constitué d'enfants et d'adolescents. Rares sont les adultes qui pénètrent son sanctuaire – sauf s'ils souffrent d'un handicap, car Élie compatit sincèrement à la souffrance. Son rapport à la maladie changera lorsque celle-ci le frappera. Il prendra ses distances avec elle, sans aucun pathos. Et continuera de plaindre l'humanité comme s'il n'était pas directement concerné.

Parmi ses jeunes fans, Cindy, j'en parlais plus haut, tient une place particulière dans son cœur. Chaque matin, il reçoit par la poste un de ses dessins. Des dessins qui le représentent dans un style naïf et tendre signés d'une petite légende, un court texte ou une citation extraite de ses spectacles qui servent dorénavant de fil rouge au sein de son magazine. Jour après jour, Cindy envoie des morceaux de sa vie à celui qu'elle idolâtre. Elle change de signature ? Elle le lui fait remarquer. Elle fête son anniversaire ? Elle le met en scène comme s'il faisait partie de sa famille. Il apprécie énormément ces témoignages, conscient du temps qu'elle lui consacre.

Un matin de janvier, jour de l'anniversaire d'Élie, nous recevons une petite boîte qui lui est adressée. Un colis ordinaire en apparence. Sur le paquet, ces deux mots : « *Kado d'anniversaire* ». Élie descend. Patrick lui tend le présent. La signature porte l'empreinte de Cindy. Mon frère sourit, dépiaute précautionneusement l'envoi, et en extrait un coffret qui s'ouvre et se referme comme une gigantesque boîte d'allumettes. Avec délicatesse, il fait coulisser la partie centrale et découvre un monde magique qui l'émeut jusqu'aux larmes. Je ne l'ai jamais vu aussi secoué. Il n'arrive plus à déglutir. Les mots restent coincés au fond de sa gorge.

En guise d'explication, il nous tend le cadeau. Tous les personnages de ses spectacles sont réunis en miniature, réalisés en pâte à modeler, exécutés avec un souci du détail époustouflant. Des semaines de travail, sans doute, ont été nécessaires pour cette œuvre digne du Facteur Cheval[1]. Le chapeau de la fée, par exemple, est surmonté d'un minuscule morceau de tulle.

Lui l'artiste, le maître incontesté de la sculpture sur glaise, qui a recréé ses amis dans cette matière malléable, est bouleversé par un travail herculéen dont il saisit l'ampleur et la perfection. Toute sa vie, toute son œuvre, tient dans la paume de sa main.

Une fois ses idées rassemblées, il transgresse une règle à laquelle il n'a jamais dérogé. Il demande à Patrick – qui n'en mène pas large non plus – le numéro de Cindy. Il décroche lui-même le téléphone. Une ambiance de plomb atomise la pièce. Cindy répond.

1. Ferdinand Cheval, dit le Facteur Cheval, est un facteur de campagne ayant construit à Hauterives (Drôme) un « *Palais idéal* », chef-d'œuvre de l'art brut (1879-1912).

D'abord, c'est un silence. Il a du mal à attaquer sa phrase. Puis il finit par sortir dans un souffle, submergé par l'émotion :

— Tu sais qui est à l'appareil ?

Silence au bout du fil. Puis la petite voix de Cindy répond, dans un sanglot étouffé :

— Je savais que tu m'appellerais.

Le reste de la discussion n'a plus d'importance.

Entre nous, la gêne l'emporte. Pleurer est un moment intime, d'autant plus déconcertant qu'Élie n'est pas habitué à communiquer ses émotions de cette façon.

22

Des personnages fétiches

L'Attachée de presse, Fortunée, Madame Sarfati, la Fourmi, l'Oiseau, le Taureau... Dans les sketches d'Élie, beaucoup de femmes, beaucoup d'animaux, mais peu d'hommes.

Tout s'explique pourtant ! J'ai suffisamment parlé de la relation qu'Élie entretient avec les bêtes ; retenons ce qu'il dit du taureau, symbole puissant, figure allégorique du début de son spectacle :

— Je sais qu'à la place de l'animal, je préférerais une vie de taureau, plutôt que de mes faire couper les... choses pour devenir aussi gros que le bœuf. Le taureau, on lui accorde noblesse et respect. Parfois même, il en sort vivant.

Concernant les femmes, Élie le répète et l'histoire lui donne raison : elles sont ses seuls référents d'enfant :

— J'ai été élevé dans un harem ! Et puis, l'humour des femmes est drôle et fin chez les pieds-noirs, tandis que celui des hommes est un tantinet lourdingue.

Une mère, quatre sœurs : une mère juive multipliée par cinq inspire, forcément...

Madame Sarfati

À tout seigneur, tout honneur...

Madame Sarfati est LE personnage emblématique d'Élie. Le seul personnage entier, nourri d'une seule influence : celle de Mémé Rosine, notre grand-mère. Mère juive par excellence, Madame Sarfati est d'abord un physique. Une prestance. Pas un physique facile, je vous l'accorde, d'autant plus que le corps d'Élie est frêle. Le harnachement nécessaire au costume de la diva des souks est le chef-d'œuvre de mon frère. L'aboutissement de toutes ses années de prothésiste dentaire s'incarne dans un somptueux implant mammairo-ventral. Notre grand-mère fut une femme forte, sensible et excessive, qui vécut en Tunisie, puis en Israël, où elle mourut avant de pouvoir admirer son petit-fils sur scène. L'histoire familiale lui attribue cette expression favorite : *« Pleure pas, tu vas t'abîmer les yeux. »*

La première apparition officielle de Madame Sarfati – qui n'est, rappelons-le, pas grosse, mais *« dilatée »* – a lieu lors du mariage d'un de nos cousins. Élie a promis de faire un petit discours, comme il est de tradition dans toutes les noces du monde. Il s'éclipse quelques instants et revient en vieille dame. Il entre en scène de manière très exubérante, apostrophant les convives d'une voix suraiguë. Il est méconnaissable, et les convives ne comprennent pas immédiatement qu'il s'agit de notre frère. Élie ne dispose pas encore de tous les accessoires qui rendront son personnage célèbre, mais les idées sont en place. Les invités ne savent pas quelle attitude adopter : tout cela est tellement inattendu !

Mon frère Dag me demande si je ne trouve pas cette composition un peu gonflée. Car tout le monde peut reconnaître notre grand-mère, mais aussi n'importe quelle mère juive qui se respecte. Quelques rires fusent. L'atmosphère se détend, et la fougue d'Élie

Les parents d'Élie en Tunisie,
avec Charlie, l'aîné de la fratrie, né en 1944.

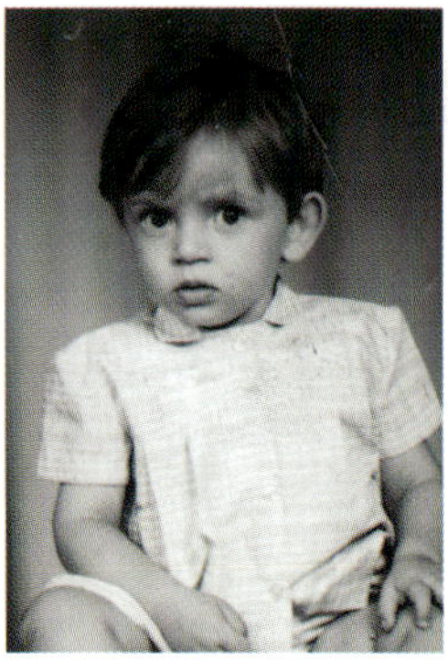

Élie à deux ans.

Élie à treize ans.
Il porte le costume de
sa bar-mitsva.

Réunion de famille, en 1968, à Marseille. De gauche à droite : Michèle, une des sœurs d'Élie (de dix ans son aînée, elle succombera d'une crise cardiaque huit mois après lui), son père, Madeleine, une cousine, avec son fils Patrice, Brigitte, Élie et sa mère.

Laurence, la fille de sa sœur Danièle, le jour de ses cinq ans. Elle fut emportée par une leucémie deux ans plus tard, en 1981.

Le jardin zoologique près duquel Élie a grandi, à Marseille. Enfant, il y a passé de longues heures à nourrir et observer les animaux.

Élie et Claudia
à l'âge de quinze ans.

Élie avec un ami
d'enfance,
à quatorze ans.

À dix-huit ans,
Élie choisit l'appel
du drapeau israélien.
Plus spirituel
que politique,
cet engagement
le rapproche de
ses racines.
Ici en compagnie
de son frère Dag.

En 1993, dans la cuisine de La Payotte, Élie porte le costume de Mongola et Vanille celui d'Anita, personnage du film West Side Story, pour interpréter la chanson « America ».

Les débuts d'Élie à La Payotte en 1993. Sur la scène, de gauche à droite : Joyeux de Cocotier, le créateur de la Payotte, Brigitte, Élie, Jean, un ami d'enfance, et Vanille. La Payotte a été construite avec une scie à main, même les tables sont faites maison !

Les débuts de la Kakouphonie, en 1993. De gauche à droite : Laurence, Élie, Christophe et Arthur.

Brigitte et Marco dans les coulisses du cirque d'Hiver, en 1997.

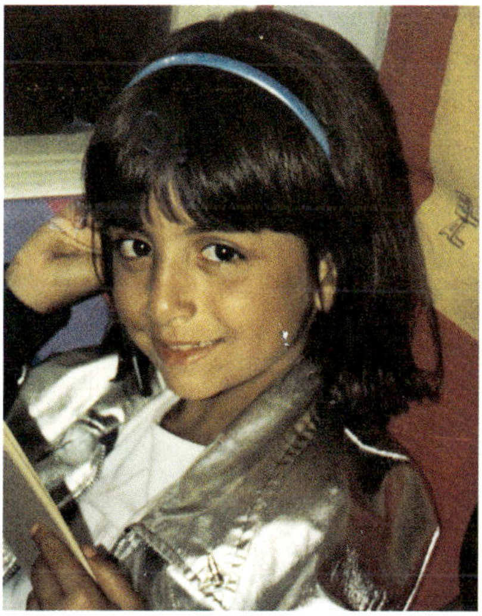

Isabelle, la nièce d'Élie,
à l'âge de huit ans.

Isabelle a souvent accompagné Élie lors de ses spectacles. Ici, elle l'attend dans les coulisses, pendant le Midem, à Cannes, en 1995.

Patrick et Laurence sur la scène du cirque d'Hiver, pendant le tournage du documentaire consacré à Élie, en octobre 2004.

Brigitte et Élie à l'issue d'un spectacle au Dejazet, en 1994.

Élie sur la scène du Dejazet, en 1994.

Élie entouré de ses danseuses, de gauche à droite : Karine, Sandrine, Laetitia, Laurence et Sophie. Ici après un spectacle à Marseille, avant de partir pour Paris et l'Olympia, en 1994.

Élie, Mattéo et Annie, une amie rencontrée au Club Med, en 1993.

Ruthy, l'une des meilleures amies de Brigitte et Élie, qui a contribué à inspirer le personnage de Fortunée Sarfati.

Élie et Brigitte à Nouméa, avec les responsables des animations, en 1995. Brigitte porte le maillot de bain qui a inspiré à Élie le costume du sketch « Tam-Tam ».

Élie, en vacances au soleil, en 1995.

À Nouméa, en 1995, lors d'une promenade avec Brigitte.
Connaissant sa passion pour les animaux, le futur roi du Maroc, Mohammed VI, lui offrira plus tard un cheval baptisé Sindibad. Symbole de l'action de l'association « Les enfants d'Élie », Sindibad est aujourd'hui au service du centre équestre de Manosque, qui reçoit des enfants de la Ddass.

Son chien Honey, un coton de Tulear offert par Dominique, son attachée de presse, le suivait (presque) partout. Sur la scène du Dejazet, il s'était installé juste sous la seule fenêtre, qui laissait entrer le soleil.

Élie sur le tournage de *Monsieur Naphtali*, en 1998. Il porte l'un des costumes de son personnage.

Élie avec la comédienne Raphaëline Goupilleau, sur le tournage de *Monsieur Naphtali*, en 1998.

Élie sur le tournage de *Monsieur Naphtali*, en 1998.

Élie (et Honey), pendant le préparation de son spectacle à l'Olympia, en 1994.

Élie pendant l'enregistrement de la voix off de son spectacle à l'Olympia.

Les amis d'Élie, pendant la préparation du spectacle « Cinq ans déjà », organisé par Brigitte en son hommage au Dôme de Marseille, en juillet 2004. De gauche à droite, et de haut en bas : Karam, Armand Michaelian, Sandrine Alexis, Aure Atika, Clara Morgane, Claudia, DJ Mao, Brigitte, Titoff et Patrick Bosso portant Célia, la fille de Claudia, déguisée en Madame Sarfati, Cartouche, Gad Elmaleh.

Portrait d'Élie par Matteo, dans le hall du Dejazet, en 1994.

Pendant « La Croisière du rire », en 1996.

achève d'emporter toutes les réserves. On s'attarde sur les détails. Cette blouse, cette démarche, ces intonations plus vraies que nature.

Je ne vous connais pas...

Ce sketch s'inspire directement de la vie réelle, plus exactement d'un épisode vécu en tournée. Au cours d'un dîner d'après-spectacle, une femme un peu éméchée s'approche de notre table. Le lendemain, Élie nous rejoue cette irruption, dans ses moindres détails, avec le piment caustique qui rend la péripétie digeste et drolatique – alors qu'à première vue, l'apostrophe semblait plutôt pathétique.

— Je ne vous connais pas ! Je ne vous ai jamais vu sur scène... Attention, cela dit, je ne demande qu'à vous connaître, je n'ai rien contre, bien au contraire... Si vous m'envoyez une invitation !

Tout le monde, connu ou pas, s'est retrouvé dans ce type de pétrin. À devoir se débarrasser d'un ivrogne, d'un pot de colle dans une soirée, ou d'une cousine éloignée en mal de confidence qui vous a-do-re. Façon d'exorciser ce genre de situations qui occasionnent plus de gêne que de satisfaction.

Gigi l'Amoroso

Au cours de l'un de ses tout premiers spectacles, Élie met en scène la célèbre chanson de Dalida. Inspiration maternelle : la mélopée est le tube favori de notre mère Suzy.

Fortunée

Les personnages hauts en couleur de son entourage inspirent en permanence Élie. L'une de mes meilleures amies, Ruthie, fait partie de ce sérail. Attachée de presse de métier, elle n'est pas la source originelle du personnage campé par mon frère. Néanmoins, ses expressions jalonnent le spectacle comme des virgules, des points d'exclamation. Il aime la chiner, la faire parler.

— Dis-moi Ruthie, se plaît-il à lui demander en exagérant son accent pied-noir, qu'est-ce que tu as mangé hier soir ?

— Hier soir ? J'étais en dépôt de bilan... Je me suis juste fait un œuf sur le plat avec un Lexomil au milieu...

Elle est un catalyseur. Une première source pour Fortunée. Une parmi d'autres puisque l'expression « *T'as compris le coup ? Après j't'explique...* » vient de notre enfance.

L'Attachée de presse

Contrairement aux habitudes, le personnage de l'Attachée de presse emprunte presque entièrement à un seul modèle – une femme qu'Élie rencontre au début de son ascension. D'une probable sincérité, immense, elle vit dans une forme de démesure qui met Élie un peu mal à l'aise. Pourtant, il n'arrive pas à s'en détacher. Elle cultive cette forme de singularité qui le fascine depuis sa plus tendre enfance. Comme une beauté fatale ou une laideur extrême. Fan inconditionnelle, elle a l'assurance de pouvoir en faire une star. Hystérique à souhait, vedette certainement contrariée, elle a jeté son dévolu sur cette petite chose d'apparence fragile, encore inconnue, qu'elle se promet de conduire

au firmament. Cette parenté entre le réel et la représentation scénique semble évidente à toutes les personnes qui la connaissent, mais pas à elle. Elle se gausse, sans cerner les troublantes ressemblances avec sa personne.

Si elle est suffisamment forte pour remplir l'imaginaire d'Élie, quelques bribes extérieures mâtinent néanmoins le personnage. La profession recèle suffisamment de savoureux caractères pour qu'il soit difficile de résister à certains emprunts, comme cette productrice de télévision, Catherine Barma pour ne pas la nommer, qui passait dans les rangées de son émission, carnet à la main, en martelant : *« Faut rigoler ! On est dans une émission comique ! »*

C'est d'ailleurs cette expression qui déclencha chez Élie l'idée de mettre ce sketch en scène.

Les femmes fortes

Lorsque Élie choisit d'ajouter des chorégraphies à ses spectacles, son intention est de transformer un one-man-show en show. L'idée des femmes fortes est initiée par mon frère à la suite d'une expérience qu'a vécue Mattéo. Celui-ci a dirigé et arrangé un défilé de vêtements pour femmes rondes. Pour cela, il a « casté » plus de quatre cents femmes rondes, de plus de cent kilos chacune. Elles représentent la chair dans ce qu'elle a de plus noble et de plus sensuel, en opposition parfaite à sa muse, Mémé Sarfati, notre légendaire grand-mère, théâtrale et désincarnée.

VI

ÉLIE DANS LE TEXTE, L'INTÉGRALE

23

Le Point-Virgule
(textes)

Le spectacle d'Élie au Point-Virgule commence dès 1991. Il tient l'affiche durant plus de dix-huit mois. En 1994, la cassette vidéo du spectacle est éditée. Elle contient tous les sketches des premiers succès d'Élie.

LE PROFESSEUR D'ANGLAIS

It may or may not offer you a hand with your luggage.

Repeat after me.

Repeat after me.

It may or may not offer you a hand with your luggage.

Repeat after me.

Vous voulez pas *repeat after me*?

What is the difference between a chicken and a house?

What is the difference between a chicken and a house?

C'est la leçon d'aujourd'hui !

Bon allez, vous sortez un quart de feuille…

Interrogation écrite flash-éclair, un quart de feuille suffira.

Vous marquez la date d'aujourd'hui en anglais.

What's the day today?

What's the day today?

Je ne veux rien savoir.

What's the day today?

Un point de plus pour les lèche-culs.

Vous marquez la date d'aujourd'hui en anglais, comme vous l'a indiqué votre petit camarade.

Et les questions d'aujourd'hui :

It may or may not offer you a hand with your luggage.

Hop, cinq minutes !

Are you ready? Are you ready?

Begin!

Il vous reste cinq secondes : *five, four, three, two, one, zero…*

Dong dong dong.

Je ramasse les copies…

Et oui c'est comme ça, je ramasse les copies.

Les chefs de classe, allez, les copies.

Allez allez allez allez…

Rendez-moi les copies…

*

Le Professeur d'histoire-géographie

Bon, alors maintenant vous vous taisez, et vous sortez vos cahiers de géographie.

Et je vous préviens que le premier que j'attrape en train de chuchoter, papoter, bavarder ou quoi que ce soit, je le fous à la porte avec un rapport de chez M. Vaudois.

Que ce soit bien clair…

Entre vous et moi.

Alors répondez présent à l'appel de votre nom : Ababou, Bourgeat, Bolcioni, Dadoun, Jacalone, Patak… Patakraouzette ?

C'est vous le nouveau ?

J'm'y ferai jamais, hein.

Rosenblum… Combien y en a ?

Et Zerbib, je l'ai vu.

Alors je vous préviens que jeudi, les gens qui n'auront pas leur cahier de géo, en géographie, je les fous à la porte avec un rapport de chez M. Vaudois.

Que ce soit bien clair…

Entre vous et moi.

Alors, la leçon d'aujourd'hui, la leçon d'aujourd'hui : les vents chauds.

Alors, les vents ; V-E-N…

Bon alors je vous préviens, le premier que j'attrape… chuchoter, papoter, bavarder, jacasser, quoi que ce soit, c'est immédiatement… porte… rapport… Vaudois.

Bien clair ?…

Vous et moi.

Car j'estime que je vous aurai assez prévenus.

LE PROFESSEUR DE DESSIN

Pour la fois prochaine, vous apporterez la photo d'un personnage que vous découperez dans une bande dessinée, roman-photo quelconque…

La photo d'un personnage… en mouvement.

Je répète pour vous qui n'écoutez pas.

Pour la fois prochaine, vous apporterez la photo d'un personnage… découperez… bande dessinée, roman-photo quelconque… la photo d'un personnage… en mouvement.

Vous sortez une feuille Canson 34 sur 17 et un crayon HB X 327'.

Vous vous installez sur votre établi, je vais vous dire un mot, et d'après ce mot, d'après c'qu'il va vous évoquer, vous allez exécuter un travail au fusain.

Est-ce que vous êtes prêts pour ce mot ?

CHANDERNAGOR !

Exécutez un travail.

*

— Des mélanges de couleurs, des mélanges de matières, et les résultats sont assez étonnants. Je vends beaucoup à Londres, en Italie aussi beaucoup, et à Paris. Mes modèles ont été longtemps critiqués… Étonnant, non ? Parce que moi, c'que je recherche chez les mannequins, c'est qu'ils aient une gueule. Si vous me passez l'expression. Et qu'ils sachent sourire, ça c'est très important. Qu'ils sachent sourire. Mais pas trop quand même, hein. Le regard détaché, un rien désabusé, et puis basta. Moi ce qui m'intéresse, c'est que mes modèles soient portés par tous. Aussi bien pour faire ses courses dans les supermarchés, oui, ou pour prendre le métro, se rendre au boulot tout simplement.

Non mais qu'est-ce que c'est… non coupez, non coupez !

— Mais, Jean-Paul Goudier, mais moi j'suis pas mannequin, j'suis comédien. Il manquait quelqu'un, ils m'ont dit de remplacer. Et j'veux bien vous aider, mais…

— Qui m'a foutu un abruti pareil ?…

— Eh mais…

— Y a pas de mais.

— Y a des gens, là…

— Vous allez vous mettre en place maintenant, et vous écoutez bien ce que je vais vous dire.

— Il est malade celui-là.

— Il va falloir danser maintenant.

— Quoi ?

— Vous savez danser ?

— Un p'tit peu…

— Allez, on y va, vous suivez bien le tempo. Et un et deux et trois et quatre, et cinq et six et sept et huit,

tu bloques. On reprend. Et un et deux et trois et quatre, et cinq et six et sept et huit, tu bloques. C'est mieux. Essaie de bouger un peu les mains. Et un et deux et trois et quatre, et cinq et six et sept et huit, tu bloques. Pas mal ! Voilà, tu avances, tu recules, tu avances, tu recules. Si tu avances et tu recules, comment veux-tu, comment veux-tu que je… Non je plaisante, je plais… mon Dieu qu'il est susceptible. Ça y est, il est énervé. Voilà, énervé c'est bien, c'est mieux. Voilà, les épaules, c'est bien. Non, là c'est nul. Eh, mais qui c'est qui t'a demandé de faire le play-back ? Non mais ça va pas, non ? Engagé, suivant.

*

COUCOU !
COUCOU !
COUCOU !
COUCOU !
COUCOU !
COUCOU !
COUCOU !

Coucou docteur, c'est encore moi… et qui c'est qui va gagner 230 francs ?

Mais puisque j'vous dis qu'j'suis guéri.

Mais vous l'avez dit vous-même la dernière fois qu'j'étais guéri.

Quoi, mon troisième œil ?

Oh vous êtes au courant pour mon troisième œil ?

C'est la concierge qu'a cafté ?

Eh ben oui, j'ai ouvert mon troisième œil. Vous savez le troisième œil qu'on a là, vous savez quand ça s'ouvre.

Vous êtes au courant, vous êtes docteur.

Vous vous rappelez quand Gorbatchev est arrivé à Paris ?

Eh ben moi, j'me suis concentré et j'ai tourné dans le sens inverse des aiguilles d'une montre autour de l'Élysée.

Et la police est venue et m'a dit : *« Pourquoi vous tournez dans le sens inverse des aiguilles d'une montre autour de l'Élysée ? »*

J'me suis concentré… et ils ont compris.

Ils ont compris à qui ils avaient affaire.

Alors ils m'ont demandé si je voulais pas les aider au CNRS.

Vous savez, pour la recherche sur les extraterrestres.

J'ai dit oui.

Ils m'ont mis dans une pièce, y avait des diapos et ça circulait, ça circulait. Et moi j'devais appuyer sur un bouton.

Mais des fois j'appuyais, mais des fois j'appuyais pas… mais des fois j'appuyais.

Et ils m'ont remercié, ils m'ont même laissé une carte.

C'est une carte magnétique, y a une adresse en Italie : Pizza San Ambrogio.

Connaissez pas ?

Alors docteur, vous avez compris à qui vous avez affaire ?

« *Everybody's free to feel good, to feel good, to feel good, to feel good !* »

Vous voulez qu'j'vous paie tout de suite ?

Mais vous avez pas compris à qui vous avez affaire…

À un danseur.

Mais oui c'était danseur qu'il fallait trouver.

Mais moi j'devrais pas être ici en ce moment, vous comprenez ?

J'devrais être à Los Angeles dans une troupe de danse.

Et j'ai refusé la tournée.

Parce que moi, je n'suis pas une star…

Non, je n'suis pas une star…

J'ai pas assez souffert avant d'être célèbre.

J'ai pas assez souffert… avant d'être célèbre.

Vous l'avez vu, c'était la réplique de *Funny Girl* dans Barbra Streisand ? C'était bien, hein ?

J'ai pas assez souffert… avant d'être célèbre.

Et soudain, j'ai peur.

J'ai peur que le succès me monte à la tête, parce que je n'suis pas une star. Non, je n'veux pas être une star, voilà.

Mais je n'veux pas être une star, vous voyez pas qu'je n'veux pas être une…

Eh oh ! Tu fais pas des photos quand j'fais des grimaces comme ça.

C'est pour quel journal ?

Ouais, en plus. Alors t'es gentil, tu arrêtes, OK ?

J'en étais où moi, hein ? Ah ouais merci, vous êtes sympas, vous.

Je n'suis pas une star, vous comprenez pas, je n'veux pas être une…

Bon allez maintenant tu dégages, allez hop !

Quoi la grosse tête, quoi la grosse tête…

Mais je viens de dire qu'je n'suis pas une star, tu es bouché ou quoi ?

Non mais c'est clair dans ta p'tite tête de photographe de merde ?

Oh j'suis grossier, j'suis gr… Vous entendez docteur, il dit qu'j'suis grossier.

Mais vous m'faites chier…

Vous m'faites tous chier.

Gnagnagna, va percer, va percer, va éclater, va éclater…

J'ai pas envie d'éclater. Vous voulez qu'j'vous éclate dessus, vous allez voir si c'est rigolo.

Docteur… ça fait mal quand on éclate ?

*

L'Attachée de presse (présentation)

Merci. Eh ben alors… pourquoi vous riez pas ?
Mais faut rigoler, c'est un spectacle comique, on rigole.
Le spectacle d'Élie Kakou, c'est un spectacle comique, alors on rigole, voyez, on s'amuse.

Et toi, pourquoi tu rigoles pas ? Ben faut rigoler, c'est un spectacle comique, on rigole.
Vous avez payé vos places, eh ben faut amortir.
Et toi, pourquoi tu rigoles pas ?
Mais faut rigoler, c'est un spectacle comique, on rigole.
Vous avez payé vos pl… ?
Ah, vous avez pas payé vos places ? Vous êtes invités ? Ah ! vous êtes invités, eh ben raison de plus, faut rigoler.

Moi j'suis l'attachée de presse, vous savez c'que c'est, une attachée de presse ?
Eh ben alors…
Ah non non, c'est pas moi qui écris dans la presse, moi je convoque la presse, nuance.
J'envoie les invit', je colle les timbres… tout ça. C'est moi qui lance les artistes. C'est moi qui ai lancé Casimir…
Casimir de « L'Île aux enfants », c'est moi qui l'ai lancé.
Et maintenant je m'occupe du spectacle d'Élie Kakou.
Eh ben alors, faut rigoler.

Alors bon, j'ai envoyé des invit' à toute la presse… toute la presse.
Y a que *Paris Boum Boum* qu'est venu.
J'ai téléphoné à Drucker, c'était occupé… c'est pas grave, je rappellerai demain.

J'ai envoyé des invit' à Guy Lux, à Sébastien, à Sabatier... non, Sabatier c'est revenu « *peuchère* »!... à Arthur, à Foucault...

Ah non, non, Foucault, non.

J'ai pas envoyé à Foucault. Foucault, non.

Vous allez pas me dire qu'vous êtes pas au courant ?

Foucault et moi... Mais vous lisez pas les journaux ? *Ici Paris*, la belle rousse, tout ça, c'était moi.

Mais moi je travaille, moi.

Et alors c'est à moi, c'est mon corps, je fais c'que j'veux, j'suis une être humaine, merde !

J'suis pas là pour rigoler.

Et maintenant faut qu'j'aille faire la billetterie avec la direction.

Eh ben alors, faut rigoler !

*

LE PROFESSEUR DE SPORT

Vous croyez vous débarrasser de moi comme ça ?
Allez, envoyez la balle, allez, on fait des passes.
Allez, essayez d'attraper la balle, allez, on fait des passes.
Faites des passes, allez hop !
Essayez d'attraper la balle !
Essayez d'attraper la balle !
Essayez d'attraper la balle !
Essayez d'attraper la balle !
Quoi ?
Vous voulez pas essayer d'attraper la balle ?
Vous voulez jouer au foot ?
Ah, mais c'est pas au programme cette année.
Et en plus, je sais pas y jouer, alors hop, ça simplifie.
Pas de foot.
J'ai… j'ai dit non.

Abdelkader…
J'ai parfaitement vu et entendu ce que vous avez dit.
Oui je comprends l'arabe.
J'ai enseigné dans les pays du Maghreb et je comprends l'arabe : *dourbia la chabani dourbia, dourbia la chabani walia.*
Ça vous en bouche un coin, non ?!

*

Le Professeur d'italien

Prendete illibro pagina quarenta cinque, pagina quarenta cinque.

Page quarante-cinq, Patakarouzette.

Yo comenco la lectura, la lectura : Il paese magnifico.

Un paese magnifico.

Un paese in cuil... carnet, carnet, carnet, carnet, carnet, carnet et carnet. *In cuil*, ça vous fait rire, hein ?

Mal élevés.

Je recommence pour les autres que ça intéresse : *la testicula magnific...* Euh, *un paese magnifico.*

E un paese magnifico, va bene, un paese in cuil se possiamo chiare.

Oh puisque c'est comme ça, j'vais vous rendre vos interrogations.

Elles sont très mauvaises.

Je vous rappelle le barème : 20, ça n'existe pas.

19, c'est pour la mère supérieure, et c'est pas moi, hein. 18, c'est pour moi. À partir de 15, c'est pour vous.

La meilleure note... la meilleure note est 8.

Ababou : 3, c'est bien.

Bourgeat : 1, y a des progrès.

Jacalone... Sergio ? Sergio ? *Come va la mamma ? Va bene la mamma ? Dove, dove...* où... *dove, dove la tua casa en Italia, dove ? Roma ? Va bene...* 18.

Je fais c'que j'veux.

Bonifacio : 15. *E come va la mamma ? Va bene la mamma ? Dove la tua casa en Italia, dove ?* Ajaccio ? Ah, j'm'suis trompé... 8.

Et Zerbib : 0 plus, pour le papier et l'encre, faites passer.

Le Professeur de philo

Je n'ai… jamais vu… une classe… avec un niveau aussi bas et aussi contestataire.

Alors, vous deviez analyser pour aujourd'hui le sentiment qu'éprouve le jeune Julien Sorel envers Madame de Rênal du *Rouge et du Noir* de Stendhal.

Tout ceci en un mot.

C'est clair…

Un mot.

Alors, nous allons voir.

Vous…

Avez-vous fait votre devoir ?

(Mimant un élève.)

Moi j'crois que Julien Sorel du *Rouge et du Noir* de Stend…

Un mot, j'ai dit.

Vous n'avez pas fait votre devoir…

Zéro.

Vous… Avez-vous fait votre devoir ?

(Mimant un élève.)

Moi j'crois que Julien Sorel du Rouge… et du Noir de Stend…

Un mot…

Pas fait votre devoir…

Zéro.

Vous… Avez-vous fait votre dev…

Zéro.

Personne n'a fait son devoir, si je comprends bien ?

Zéro.
Je vais vous dire la solution : c'était le mot… Passion.

Nous en étions où ?
Ahh… Qui a craché dans le cahier de textes ?
Qui a craché dans le cahier de texte ?
Qu'il se dénonce.
Qu'il se dénonce…
Je lui ferai rien.
Ah vous avez craché dans le cahier de textes… je crache sur la classe.

*

Madame Sarfati (présentation)

Ah non, non…
Coupez la musique, ils se moquent de moi.
Riez, riez, riez…
Vous verrez quand vous serez vieille.
Vous serez toutes comme moi.

Qu'est-ce qu'y a ?
Qu'est-ce qu'y a ?
J'suis pas grosse, j'suis dilatée.
Oui, dilatée, oui.
C'est normal quand on a eu douze enfants comme moi.
Oui, monsieur, douze, et j'les ai bien élevés et j'les ai tous mariés, *barkala.*

Il reste plus que ma petite fille… Fortunée.
Men aïchalia elle a trente-cinq ans, elle est pas mariée.
Où ça s'est vu qu'on est pas mariée à trente-cinq ans, où ça s'est vu ?

Moi, j'me suis mariée, j'avais 16 ans.
On m'a pas demandé mon avis, on m'a dit voilà, c'est celui-là ton mari… *euchkeut.*
Est-ce qu'on avait le droit à la parole ?
Maintenant viens, va, *mchou, jha,* éclate-toi.
J'ai dit lalala.
Y a pas d'éclatade qui tienne… *dialaha.*

Madame Sarfati
(Les Poires)

Pas plus tard qu'hier, je voulais acheter des fruits chez la marchande de légumes.

Je voulais acheter des poires, je voulais les choisir.

La vendeuse, elle me dit :

— Ah non, madame Sarfati, ici on touche pas les fruits.

— Eh, attendez, je veux voir s'ils sont mûrs.

— Ah non, vous vous rendez compte si tout le monde fait comme vous ?

J'dis :

— Mais c'est pas tout le monde, c'est moi !

Elle dit :

— Non, c'est moi qui vous sers.

— Eh ben d'accord, eh ben servez-moi.

Elle m'a servi deux poires comme ça, énormes.

J'arrive à la maison, j'ouvre la première : elle était toute pourrie.

J'ouvre la deuxième, elle était pourrie aussi.

J'dis :

— Ah bon, c'est comme ça... Elle a voulu me niquer.

Je retourne. J'dis :

— Madame, madame, vous vous rappelez de moi ? J'voulais acheter des poires, vous m'avez dit : *« Non, ici on choisit pas ! »* Regardez les poires que vous m'avez choisies : elles sont toutes « pourrites ».

Qu'est-ce qu'elle me dit ?

Non mais qu'est-ce qu'elle me dit ?

— Eh oh, moi j'suis pas dans la poire.

J'dis :

— Ah t'es pas dans la poire… Eh ben maintenant vous y êtes.

Ah, il faut pas se laisser faire, vous avez compris, il faut pas se laisser faire.

*

Madame Sarfati
(« Vous êtes juif ? »)

Pardon, monsieur, c'est bien le train pour Sarcelles ?

Y a une place en face de vous ?

Oui, je veux me mettre, oui. C'est public, non ? *cotcha.*

Quoi ? Moi, je vous ai marché sur les pieds ?!

Et moi, combien de fois on m'a marché sur les pieds et j'ai rien dit…

À quelle heure il s'en va, le train ?

17 h 17 ?

À moi, on m'a dit cinq heures et quart.

Ahh… 17 h 17, ahh !… Tu vois pas la différence, toi ?

Ah, ça y est, on est partis.

On est parti, on est partis, on a tout laissé.

Oui, monsieur, on est partis, on a tout laissé.

On est revenu une main dedans… euh… une main devant, une main derrière.

Dites-moi, j'peux vous poser une question… indiscrète. ? Dites-moi… Vous êtes juif ?

Ah, vous êtes pas juif ? Ah non, je croyais. Non, je croyais. Non, remarquez, il en faut aussi… qui c'est qui va acheter au détail après ? Vous êtes sûr ?

Bah… sûr de quoi, sûr de quoi ?… Eh ben, vous êtes juif ?

Ah, vous êtes breton… Ah ouais, alors là ouais, ouais.

Peut-être vous êtes juif vous le savez pas ? Peut-être votre père ou votre grand-père… ou vos voisins…

Ah vous êtes désolé ?

Non, soyez pas désolé.

Non, ne soyez pas désolé *yatikchred.*

Désolé ? À moi, désolé ? À moi vous pouvez me le dire, non ? Vous voyez bien, non ? Que j'vous dise quoi, quc j'vous dise quoi ?

Ben... Vous êtes juif ?

Ben pourquoi vous vous énervez... Qu'est-ce que j'ai dit ?

J'ai rien dit.

Eh ben vous êtes pas juif, vous êtes pas juif, j'suis pas responsable, non ? !

De toute façon, ça y est, on est arrivés. Regardez, la maison de Tata Baïla, la maison de Tata Anina, la maison de Mesralaoud.

Ça y est, on est arrivés.

On va se quitter. On va plus se voir. Vous allez bien vous débarrasser de moi, hein ?

Oui oui oui oui.

Alors, j'vous dis qu'on va se quitter, on va plus se voir... Une petite vieille comme moi, à qui j'vais le répéter, à qui ?

Vous êtes juif ?

Ah, vous êtes juif ? Vous êtes juif ?

Eh ben, on dirait pas, hein ?

*

Le Médium

Cette femme a du cholestérol. Cette femme a du cholestérol. Qui a mis cette photo ? Qui a mis la photo de Mme Sarfati, qui ? Je peux faire quelque chose avec les radiations. C'est vous, madame ? Vous êtes une parente ? Non ? Une... ? Une voisine ! Oui... Et qu'est-ce que vous voulez savoir ? La recette de son couscous ? Ben vous êtes une voisine, vous avez qu'à lui demander et puis c'est tout. Ah, elle veut pas vous la donner. Ah ben écoutez, moi j'suis médium, j'suis pas collabo.

Qu'est-ce que vous y mettez dans le couscous, vous ? Des tomates... des oignons... des œufs... ouais... des gros lardons ? Oui, il vous manque quelque chose, hein ! Écoutez, on va essayer d'avoir des informations, mais je vous garantis rien du tout, hein.

J'ai un message pour vous : on me dit de vous dire de rajouter un peu de... un peu de « krafes ». Non, je n'sais pas ce que ça veut dire. Vous savez, moi je vous donne les informations telles qu'elles arrivent. Vous allez chez votre épicier, vous lui dites : *« Je voudrais un peu de krafes. »*

Mais c'est pas terminé, hein. Est-ce que vous connaissez une certaine Nadine dans votre entourage ? Une parente, une voisine... Ché pas, j'entends Nadine... Nadine Oumouk... Ça vous dit quelque chose ? Ah non, non... Moi je vous donne les informations telles qu'elles arrivent. Ben... Je n'sais même pas c'que ça veut dire, écoutez.

Non, écoutez, je n'peux pas rester plus longtemps, j'ai d'autres personnes qui attendent pour des voyances.

Qui a mis ceci ? Un micro... 1-2, 1-2. En plus, il marche pas. C'est vous, mademoiselle ? Oui, qu'est-ce que vous voulez savoir ? Si vous allez réussir dans la chanson ? Ouais.

(Il tire les cartes.)

Un, deux, trois, quatre, cinq... six, sept, huit, neuf, dix. Va falloir coucher. Ouh, il va falloir beaucoup coucher. Mais ça n'a pas l'air de vous déranger en plus. Non mais ça va marcher. Ben, eh ben oui forcément ça va marcher. Je vous vois, vous êtes là en train de chanter, avec le micro. Ça va très bien se passer, vous allez voir. Ah non, c'est pas un micro que vous avez à la main ! Ah ouais, mais moi je vous donne les informations telles qu'elles arrivent. Vous êtes sûre que c'est dans la chanson que vous voulez réussir, vous ?

Est-ce qu'il y a quelqu'un qui veut poser une question ? Oui, madame ? Non ne dites rien, je vais deviner exactement pourquoi vous êtes là.

(Il attend un moment.)

Bon allez, sortez d'ici, espèce de conne.

Est-ce qu'il y a quelqu'un qui veut envoyer un message ou qui attend un message ? Allez, on y va, c'est le moment, c'est maintenant. Oui, vous voulez parler à qui ? À Cloclo ? Vous voulez parler à Cloclo ? Vous voulez parler à Cloclo ? C'est pas une cabine téléphonique ici. Non, j'vous l'ai déjà dit à vous en plus. C'est pas la première fois que vous venez à nos réunions vous, hein ? Oui je sais, je sais, vous êtes une ancienne Claudette, je sais. Mais ça se fait pas comme ça, il faut consulter l'oracle. Et oui, l'oracle. Vous avez jamais entendu parler de l'oracle ? Rigolote.

L'oracle…

(Il attend.)

Bon, ben, ça répond pas, hein.

Exemple suivant : je vais prendre la personnalité de quelqu'un dans la salle. Alors j'vous demande le plus grand silence parce que c'est très dangereux pour la personne en question, ça peut tomber sur n'importe qui.

(Il mime la transformation.)

Eh ben alors, pourquoi vous riez pas, faut rigoler, c'est un spectacle comique, on rigole ! Le spectacle d'Élie Kakou, c'est un spectacle comique, alors on rigole, voyez, on s'amuse.

Eh ben alors, Kakou, ça va pas non ? Non, ça fait deux fois que tu me prends, j'en ai marre tu as compris. Pourquoi tu prends pas la caissière un peu ? Oui, la caissière, oui. J'suis sûre qu'elle serait ravie en plus. Attention ça clignote… l'oracle. Tu as un appel. Mais vas-y, j'te jure qu'il y a un appel.

C'est peut-être l'Olympia. On peut rigoler.

Maman ? Je t'ai déjà dit de pas m'appeler par télépathie. Oui, tu peux utiliser le téléphone toi. Oui, j'suis au boulot là, ouais j'suis au boulot. Maryvonne se marie ? Maryvonne se marie. Qu'est-ce que tu as fait à bouffer ? Ah… Eh ben je viens. Ouais, je viens… Une baguette ? D'accord je prends une baguette et je viens. J'te dis qu'je viens. J'finis avec les blaireaux et j'arrive.

Dernier exercice, on n'a plus le temps maintenant : par la simple force de la pensée, je vais éteindre toutes les lumières ici. Oui mais à trois : un, deux, trois.

*

Publicité
La Lessive Plouf

Oui ? Quoi encore ? Mais je l'ai déjà fait hier. Ah, je le refais ? D'accord, oui bon, d'accord, OK.

La direction de l'établissement nous oblige à faire de la publicité… Voilà, comme ça c'est dit. Passez-moi la lessiveuse, passez-moi la lessive… La publicité pour Plouf : la nouvelle lessive pour les taches rebelles, au citron. Avec des vrais morceaux de citron dedans ! Regardez, hop hop hop pour les taches difficiles. Un peu de Plouf… stop. Un peu, un peu, ça suffit.

Cette serviette par exemple : *you put on the water, you wash it, you wash it, you rince, you rince, you rince, three times, you smell… hummm it smells like a flower !*

Deuxième exemple, ce t-shirt par exemple : *you put on the water, you wash it, you wash it, you rince, you rince, you rince, three times, you smells… hummm it smell like a flower !*

Troisième exemple… où je l'ai mis ? Je trouve plus le troisième exemple. Bon attendez, c'est pas grave, deux secondes attendez…

Elle retire sa culotte et la met dans la lessiveuse.

Cette culotte par exemple : *you put on the water, you wash it, you wash it, you rince, you rince, you rince, three times, you smell… heu… you put on the water…*

L'Attachée de presse
(2e partie)

Merci. Eh ben alors… J'vous l'avais dit, qu'c'était un spectacle comique. Le spectacle d'Élie Kakou, c'est un spectacle comique, alors faut rigoler.

Ça y est, j'ai rappelé Drucker, hein. Eh ben, c'était encore occupé. Occupé, occupé, occupé ! Après, j'suis allée manger un peu de saumon, après j'suis allée dormir. Ah… Sébastien, il vient demain. Comme ça, c'est fait. Vous connaissez Sébastien ? Vous êtes sourds ? Vous connaissez Sébastien ? Belle et Sébastien, vous connaissez ? Eh ben, ils viennent tous les deux demain. Alors, ce que je fais dans ces cas-là : je prends une enveloppe, je mets une invit', je colle un timbre bien sûr, j'suis pas conne hein… Et je lui envoie. Comme ça, il sera obligé de la recevoir. Après j'fais des croix, mais ça, c'est facile.

Alors aujourd'hui : quatre cent places vendues ; deux demi-tarif plus trois invités. Qui sont-ils ? Les invités ? C'est vous les invités ? Vous êtes des amis d'Élie Kakou ? Eh ben, il faut payer aussi des fois, hein ? Et ouais, un jeune qui démarre, il faut l'aider. Mais ouais, vous êtes des amis intimes. Ben, raison de plus… Vous êtes des amis intimes, faut l'aider. Moi je me fais engueuler par la direction, ils me disent : « *Y a trop d'invités.* » Vous voulez qu'j'vous dise, je me fais engueuler par la direction, j'me fais engueuler par Élie Kakou, il me dit : « *Mes invités, ils n'ont pas pu rentrer.* » J'me fais engueuler des deux côtés. À cause de vous. Oui, à cause de vous, oui. Oh, vous pouvez rigoler, oui, allez-y, rigolez, rigolez. J'aimerais bien rigoler, mais j'me fais engueuler. Vous croyez pas que non, non ! Moi, quand je sors dans

la rue, j'me fais tabasser par les journalistes. Eh oui, vous croyez pas que non, vous !

Elle descend dans le public.

Oh, vous avez une jolie couleur. C'est auburn, c'est ça ? Ça vous va bien. Et moi, ça me va bien aussi. Oui, mais moi, c'est naturel. Non mais c'est vrai... carrément. Non, après c'est moi qui me fais engueuler, vous comprenez, hein... Hein la blonde !

Eh ben alors, ça va pas non ? Il m'a mis la main au cul. Carrément, il me met la main au cul. Voyez, il met la main au cul aux filles... aux belles filles en plus. Eh ben alors, vous avez pas de femme ? Eh ben alors...

Elle attrape le visage d'un homme du public.

Tu veux que je fasse de toi une star, tu veux ? J'enlève Élie Kakou, j'te mets toi, tu veux ? Non, il faut que je le sache si c'est oui ou non. Si c'est oui, il me faut du matériel. Tu veux ? Après j'te fous à poil contre un grillage, j'te fouette. Non, c'est ou oui ou non, si c'est oui, il faut qu'j'aille acheter du matériel. Faut pas prendre ses rêves pour des réalités.

J'suis bonne comédienne quand même, hein ? Ouais, moi aussi quand j'étais jeune j'faisais du théâtre, tout ça... Mais c'était pour rigoler. Et ce petit chien... À qui il est ce petit chien ? Il est mignon, il ressemble à mon chien. Eh ben alors... Mais c'est mon chien ! Qu'est-ce tu fous là ? Tu es pas dans la voiture en train de garder le poste. Tu viens au spectacle d'Élie Kakou... Alors faut rigoler toi aussi. Sinon j'te fais piquer. Oh, on peut rigoler.

Toi aussi tu rigoles, Pierre-Yves, tu mets la lumière et tu rigoles. Ça fait un de plus. Sinon j'te fais piquer... Toi, je rigole pas.

Alors, eh ben alors, il en est où, Élie Kakou ? Le spectacle d'Élie Kakou, il en est où ? Il vous a fait le curé ? Il vous a fait le défilé de mode ? C'était bien, ça, hein ? Il vous a fait Madame Sarfati : *« dourbia la chabani dourbia dourbia »*, il vous l'a fait ? Eh ben alors Kakou... Pourquoi t'as pas fait *« dourbia la chabani dourbia dourbia* ? » Ah, tu l'as fait ? Il dit qu'il l'a fait. Tu l'as fait ou tu l'as pas fait ? Je veux savoir la vérité. Ah, tu l'as fait... Il a dit qu'il l'a fait. *« Bon, alors, je vous préviens... premier que j'attrape... chuchoter, papoter, bavarder, jacasser... »* Je le refais bien, non ? Oui je sais, moi aussi quand j'étais jeune j'voulais faire imitatrice. Ben, c'était pour rigoler !

*

Le Kakou

Oh jeune… Oh, tu sais qui je suis, oh ? Oh, tu sais qui je suis, oh ! Oh j'suis un fou, oh !

Putain, j'suis un grand nerveux, mon gars, t'sais pas putain, j'te chope, j'te fracasse, con. Il est pas con lui, oh ? Il est con lui oh !

J'lui avais dit à Amédée, j'lui avais dit : « *Oh Amédée… Ne te manque pas, parce que si tu te manques, nous, on te manque pas…* » Putain, il s'est manqué, con. On l'a chopé, on l'a fracassé… On était douze, il était seul. J'ai dit ça fait rien, laissez-le-moi putain, il m'avait traité… Oh… J'dis : « *À moi tu me traites, à moi tu me traites… Ta mère !* »

On est allés danser à l'Annabel's. Vous connaissez la boîte l'Annabel's ? Vous connaissez pas ? Normal, avec la tronche que vous avez, ils vous ont pas laissé rentrer. Le portier, le videur… Celui qui est à la porte, qui vide… on l'a fracassé. Ce con… Non, mais il est pas con lui aussi ?… Con lui, oh ! Vas-y qu'il m'dit : « *Vous êtes venus en mélomanes ?* » J'dis oh : « *Qu'est-ce que tu as dit, toi ? Moi, pétomane ?* » P'tain, j'l'ai chopé… fracassé.

On est rentrés, on les a tous fracassés. Ces petits cakes, là, ces petits cons, non… Ils sont pas cons aussi les petits cons, non ? Non, c'est vrai, des fois ils sont cons. Non, les grands non, on les a pas fracassés. On a fracassé les petits. Mais non… Les grands, on les a fracassés quand ils étaient petits déjà. Maintenant ils sont grands. Qu'est-ce que tu veux qu'on y fasse ? Ils nous

respectent, on les respecte. On se respecte mutuellement, pas vrai ? Allez, *ciao* !

Je voyais qu'y avait Ginette Badoul qui arrêtait pas de me regarder. J'ai dit : *« Putain, elle, avant la fin de la soirée, je lui fais une soupe de langues. »* Je suis descendu sur la piste de danse. J'leur ai fait les passes, p'tain ils sont restés cons, con.

Oh, disc-jockey, tu peux pas mettre un peu de musique dans l'aquarium là-haut, non ? Pas con lui aussi… Oh, tu mets la musique ou j'te fracasse !

Ginette, viens danser… Viens, viens danser avec moi. Oh, tu viens danser ou j'te fracasse !

Il mime une danse avec sa partenaire.

Oh, Ginette ! Ginette ? Tu aimes la soupe ? Tu as pas un peu l'impression de rêver ?

*

LE CHIGNON
(mime)

L'artiste se fait un chignon. Il mime les étapes successives nécessaires à l'exécution d'un chignon.

Après avoir démêlé ses cheveux soigneusement, il roule son chignon progressivement afin de lui donner la forme d'une boule. Petit à petit le chignon grandit jusqu'à devenir énorme.

L'artiste montre que le chignon a atteint la taille d'une grosse boule.

Il place le chignon sur sa tête et enfile quatre épingles afin de le fixer. Une fois en place, le poids fictif du chignon le fait basculer sur le côté droit et l'artiste tombe.

*

L'Attachée de presse
(L'Imitation : Gigi l'Amoroso)

Vous voulez que je vous fasse une imitation de Dalida ?

Vous voulez ?

Ma parole, je vous fais une imitation de Dalida, comme ça. Élie Kakou, il aura le temps de se changer. Préparez le costume, celui que je me suis fait moi-même. Préparez la cassette.

(Elle enfile une robe.)

Faites attention à ma culotte de cheval. Voilà.

Alors, je ressemble pas à Dalida comme ça ? Vous avez jamais vu un top-model ?

Vous voulez que je vous fasse une imitation de Sting pendant que je me change en Dalida ? : *« Roxanne, you don't have to pull on the way... in the night. »*

Alors, j'vous l'avais dit qu'j'étais imitatrice.

Alors, la perruque, merci.

(Elle fait tomber son manteau.)

Faites attention avec ce manteau, c'est des animaux. En place, *maestro.*

(La musique commence.)

Yé vé vous raconter, avant de vous quitter,
L'histoire d'un p'tit village près de Napoli.
Nous étions quatr' amis, au bal tous les samedis,
À jouer, à chanter toute la noui.
Sandro à la guitare, Julio la mandoline,

Moi yé chanté en tapant sull'tambourin.
Et tous ceux qui venaient, c'était pour voir chanter
Celui qui faisait battre tous les cœurs.
Et, quand il arrivait, la foule s'écriait…

Arriva Gigi l'Amoroso,
Croqueur d'amour, œil de velours comme une caresse.
Gigi l'Amoroso,
Toujours vainqueur, parfois sans cœur,
Mais jamais sans tendresse.
Partout c'était la fête quand il chantait,
Zaza, Luna Caprese, O sole mio…

Une riche Américaine, à grands coups de *« je t'aime »*,
Lui proposa d'aller jusqu'à Woliwoud.
« Te sara le plus beau de tous les carouzzos »,
Lui disait-elle à en perdre la laine.
Les années ont passé, cinq hivers cinq étés,

(Elle fait descendre sa poitrine d'un cran.)

Mais ça a été très dur de continuer sans lui.
Il a fallu du temps, du courage et du temps,
Mais ça a été très très dur de continuer sans lui.

(Moment nostalgique, elle s'appuie contre le mur.)

Croqueur d'amour, œil de velours

(Elle renifle.)

Comme une caresse…

Gigi ? c'est toi que je vois dans le noir ? Mais tu étais pas à Woliwoud ? Ça n'a pas été là-bas, hein ? Et alors,

qu'est-ce tu croyais ? Devenir comme ça Gigi l'Americano ? *Ma invecse no* : tu es Gigi Giuseppe Luca Santini. Et tu es napolitain, de surcroît.

Ma, tu pleures, Gigi ? Tu pleures ?

Ma, qu'est-ce qu'ils comprennent, ces Américains, à part le rock et le twist ? Attends... tu ne peux pas t'en aller comme ça. Ici tu es chez toi !!! Non, ici tu es chez moi, j'ai tout acheté pendant que tu étais pas là. Tu entends ? Sancho s'est mis à la guitare. Ils ont dû te reconnaître à la gare. Non c'est pas moi, j'te jure c'est pas moi.

Chante, Gigi, chante, chante pour eux, chante pour moi... pour moi qui n'ai jamais su te regarder.

Chante, Gigi, chante, chante pour eux, chante pour moi... pour moi qui n'ai jamais su te regarder.

(Elle recule en coulisses et mime l'heure qui passe avec sa montre.)

Oh tu chantes, la chanson de Gigi l'Amoroso.

Arriva Gigi l'Amoroso,
Croqueur d'amour, l'œil de velours comme une caresse.
Gigi l'Amoroso,
Toujours vainqueur, parfois sans cœur,
Mais jamais sans tendresse.
Partout c'était la fête quand il chantait,
Zaza, Luna Caprese, O sole mio...

C'est ton public, tapez dans les mains. Tapez dans les mains, c'est ton public. Chante Gigi, chante. *Carmela, Carmela, vieni guarda que bello. Gigi e ritornato dell America.* Non ne souris pas, tu vas lui faire peur...

Zaza, Luna Caprese, O sole mio
Arriva Gigi l'Amoroso.

Vous avez vu qu'je fais la deuxième voix.
Mon Dieu, j'en reviens pas, je fais la deuxième voix.

Gigi l'Amoroso,
Toujours vainqueur, parfois sans cœur,
Mais jamais sans tendresse.
Partout c'était la fête quand il chantait,
Zaza, Luna Caprese, O sole mio…

(Elle enlève sa perruque et se recoiffe les cheveux.)

Thank you, thank you.
Je vous l'avais dit que j'étais imitatrice. J'aurais pu faire carrière si j'avais voulu. Maintenant, c'est trop tard, j'suis trop vieille ; j'suis trop vieille ? Ouais, salauds.

Il vous a fait le voyant ? Il vous a dit Nadine Omouk ? Il a bien fait. Il vous a fait le magicien ? Oui, ça, il a fait. Il vous a fait Nadia Comaneci ? Et Mongola, il l'a fait ? Moi j'aime pas ce sketch. Ché pas, j'aime pas. Ché pas, j'aime pas.

Eh ben alors, le spectacle est terminé. Maintenant c'est le rappel. On va lui faire le rappel à Élie Kakou. Alors j'vais vous expliquer un truc : alors il va faire le rappel, il va faire un rappel. S'il veut vous en faire un deuxième, vous dites non. Parce qu'après, il est fatigué, faut qu'il aille se reposer ! Alors on va lui faire le rappel. Le rappel à Élie Kakou : Kakou Kakou Kakou Kakou… Allez allez allez allez allez…

*

Vous avez pas de maison ?

Stop !

Vous avez pas de maison ou quoi ?

Est-ce que vous en voulez encore ?

Mais c'était prévu !

*

Madame Sarfati
(« Tu dis oui »)

Fortunée, viens ici, qu'est-ce que tu caches derrière ton dos ? Qu'est-ce que tu caches derrière ton dos ? J't'ai vue. Des talons aiguilles ? Qu'est-ce que tu fous avec des talons aiguilles dans le dos ? Ah, tu vas en boîte ? Mais fallait me dire, j'vais me préparer, j'vais t'accompagner. Tu vas pas y aller seule ?

Ah, on vient te chercher ? Ah, ça va alors, si on vient te chercher, ça va...

Qui c'est qui vient te chercher ? Un type ? Quel type ? Comment il s'appelle ? Qu'est-ce qu'ils font les parents ? Ah, ça me regarde pas ? Écoute-moi bien, Fortunée, écoute-moi bien c'qu'elle va te dire, Mémé. Moi, je sais exactement comment ça se passe avec les types de ce type.

Le type, il va venir te chercher pour t'emmener à la boîte... Eh ben tu dis oui, il vient te chercher, il t'amène à la boîte. Une fois dans la boîte, il va vouloir, euh... il va vouloir te payer un verre. Il veut te payer un verre, il veut te payer un verre... Eh ben tu dis oui. Tu bois un verre, tu discutes, tu vois.

Mais c'est pas terminé : après il va vouloir t'inviter à danser. S'il veut t'inviter à danser... Eh ben tu dis oui. Tu vas, tu danses, tu t'éclates un peu, allez. Mais c'est pas terminé.

Après il va vouloir te ramener... Y veut te ramener... Y t'a amenée, il peut te ramener, non ? Tu dis oui. Mais il va pas se garer devant la maison. Il va se garer cent mètres plus loin. Et alors là, alors là, il va vouloir...

euh… il va vouloir t'embrasser sur la bouche… minimum. Y veut t'embrasser sur la bouche, il veut t'embrasser sur la bouche… Eh ben tu dis oui. Mais c'est pas terminé.

Après il va vouloir… euh… il va vouloir… y va vouloir te toucher la poitrine. Eh oui, c'est comme ça, eh ben oui, c'est comme ça, qu'est-ce que tu veux qu'j'y fasse.

Y veut te toucher la poitrine, y veut te toucher la poitrine… Eh ben tu dis oui. Mais pas trop quand même, hein, parce que les fruits, une fois qu'tout le monde les a touchés, plus personne veut les acheter. Oui c'est vrai oui, mais c'est pas terminé.

Après il va vouloir… euh… je sais pas comment te dire ça, ma fille… Il va vouloir, eh oui, il va vouloir te monter dessus. Eh oui… Mais pourquoi tu t'énerves ?… C'est pas moi, c'est lui.

Eh ben tu dis non. Parce que s'il te monte dessus, c'est le déshonneur sur toute la famille. Tu as compris ?

Quoi, qu'est-ce qu'y a, tu es pressée ? Qu'est-ce qu'y a, quel âge tu as ? trente-cinq ans ? Déjà trente-cinq ans ! Eh ben alors tu dis oui. Tu dis oui.

Mais attention, Fortunée, c'est toi qui lui monte dessus, comme ça, ça sera le déshonneur sur sa famille à lui !

*

Madame Sarfati
(« On s'en va »)

Coupez-moi cette musique horrible.

Allez, on s'en va. Fortunée, allez bouge, sors des rangs. Le spectacle est fini.

Dépêche-toi, ils vont nous voler les taxis.

Qu'est-ce qu'il y a, tu as honte de moi ou quoi ?

Tu veux qu'j'attende à la sortie, devant l'entrée ?

Tu me reconnaîtras ?

*

Publicité
Dégraiss' four

Tournez ici, posez, voilà. Merci.

Vous me reconnaissez ? L'attachée de presse d'Élie Kakou !

Maintenant c'est fini, la pub pour la lessive, je veux dire…

Je tenais à vous dire que j'ai été engagée pour faire de la publicité pour un produit de beauté. Eh oui !

Oui, les gens me disent : *« C'est pas possible, pour être aussi belle, vous avez un secret ! »* Eh oui ! J'ai un secret !

Vous croyez pas que ça se fait comme ça, non ? Dégraiss' four, mais le vrai !

Un peu de Dégraiss' four… STOP : un peu, ça suffit !

You put on your face, you wash it you wash it… Hou là là ! ça brûle, passez-moi les serviettes, ils se sont pas trompés de produit au moins ?

Ça brûle ! STOP, ça suffit !

You put on your face, you wash it, you wash it, you rince, vous voyez la saleté ? Ha ! Vous la voyez, eh bien tant mieux parce que je ferais pas ça tous les jours…

Allez, emmenez-moi à l'hôpital !

*

Madame Sarfati
(Le Kibboutz)

On l'a même envoyée dans un kibboutz, vous connaissez le kibboutz ?... Qui vivent en communauté les uns sur les autres !

Le directeur du voyage, il est venu me voir, il me dit : *« Madame Sarfati, vous voulez pas qu'on envoie la petite au kibboutz ? Elle va travailler un peu, elle va s'amuser beaucoup et, si Dieu le veut, on la marie là-bas. »*

J'dis oui pourquoi vous êtes pas venu la chercher avant ? Il m'a dit seulement : *« Le billet, c'est 500 000. »*

(Elle fait mine de se poignarder le cœur...)

Kharchekeum smala ! 500 000 ? Pour aller travailler dans un kibboutz ?

Eh, c'est les tarifs aériens. Ah, c'est les tarifs aériens, eh ben, vous l'inscrivez. On fait la ceinture, on l'envoie. On fait la ceinture, on l'envoie. Elle pourra pas dire qu'elle a pas eu sa chance. On a fait la ceinture, on l'a envoyée au kibboutz.

Qu'est-ce qu'on a pas fait de l'envoyer... Qu'est-ce qu'on a pas fait de l'envoyer.

Le premier jour qu'elle est arrivée au kibboutz, ils les ont mis en file indienne, les petites jeunes filles, pour leur demander le nom, le prénom, la profession des parents, etc.

Devant elle, y avait une petite blonde, une maigrichonne, ils lui ont dit : *« Mademoiselle, venez par ici s'il vous plaît. Comment vous vous appelez ? »* Elle a dit : *« Moi je m'appelle Katia Rosenblum. »*

« Katia Rosenblum ? Vous êtes polonaise ? » Elle a dit : *« Oui je suis polonaise. »*

« C'est très bien, vous allez travailler dans les bureaux. Vous vous levez à l'heure que vous voulez, vous faites ce que vous pouvez, et vous partez quand vous voulez. » Elle a dit d'accord. Elle a pris la place, elle est partie. *Kattra.*

Viens le tour de ma p'tite fille Fortunée. *« Toi là-bas, viens ici tout de suite. »* Elle leur a dit *« Chkoun Ene ? » « Oui, toi, la frisée, la poilue, la mate de peau, la dodue... Viens ici tout de suite avant qu'on te donne une* trekha. » Elle a dit :

— Voilà, je suis là, qu'est-ce que vous m'voul voul ?

— Comment tu t'appelles ?

— Moi j'm'appelle Fortunée Sarfati.

— Fortunée Sarfati, ton compte est bon. Tu vas nettoyer toutes les chiottes du kibboutz, et tu as intérêt qu'ça brille.

— Mais je commence quand ?

— Tout de suite, tout de suite. Tu prends tes cliques et tes claques, et tu y vas *yala yala* y a pas une minute à perdre.

La pauvre chérie, pas contrariante : allez, *eudrleub*, vas-y qu'elle nettoie, vas-y qu'elle nettoie. Dès qu'elle terminait une tâche, ils lui faisaient une autre tâche. Ils lui disaient : non, Fortunée, il faut tondre la pelouse. Non c'est pas fini, il faut débarrasser les tables. Fortunée-ci, Fortunée-là, on entendait plus que ce mot là-bas. Une fois, elle a voulu se révolter, oui elle a voulu se révolter. Elle leur a dit *(en tapant des pieds)* : *« Mais je suis fatiguée ! » « Ah tu es fatiguée,* trekha *? »* On lui a donné une *trekha* comme jamais

elle a reçue de sa vie. Ils la faisaient travailler *ourassebabalarziz...*

(Elle fait une marque de salive sur son tablier.)

Si je mens, je meurs à l'instant. Ils la faisaient travailler soixante-douze heures par jour. Oui, soixante-douze heures par jour. Et la nuit, elle voulait se reposer... Même les moustiques ils avaient pas pitié d'elle. Ils l'ont pompée jusqu'à la moelle. C'est bien simple, le jour où je suis allée la chercher à l'aéroport, je l'ai pas reconnue.

Je vois l'avion qui arrive sur la piste d'atterrissage. Je vois tout le monde descendre : les stewards, les stewartesses. *Babasidi,* tout le monde descend et je vois pas Fortunée. J'ai dit *boualia,* ils ont dû l'oublier là-bas. Je vais vers une maigrichonne. Je lui dis : *« Pardon mademoiselle, vous étiez pas dans l'avion avec ma petite fille Fortunée Sarfati ? »*

Elle se retourne elle, me dit :

(En pleurant...)

« C'est moi ! »

Mais qu'est-ce qu'ils t'ont fait, mais où il est le directeur que j'lui crève les yeux ? Où il est ? Je l'avais envoyée, elle pesait 120 kilos sur la balance. Ils me l'ont ramenée *eckbe* comme mon...

(Montrant son petit doigt.)

... petit doigt. Maintenant ça fait six mois qu'on l'engraisse pour qu'elle retrouve ses formes. Qui c'est qui va la vouloir ? Une maigrichonne, rachitique.

Comment elle va faire des enfants si elle a pas la graisse autour du ventre pour les nourrir ?

J'dis : Mais tu as pas trouvé un mari au moins à ramener. Elle me dit « Là » : pas trouvé de mari à ramener.

Allez, allez, rentre à la maison... Oui tu manges ton couscous et tu te tais... Et quand tu as fini, je te rajoute et tu la boucles un peu. Oui tu la boucles... Tu nous as fait dépenser 500 000 !

*

Madame Sarfati
(La Viso)

Vous avez pas vu ma p'tite fille Fortunée, celle qu'a trente-cinq ans, qu'est pas mariée ?! Elle a trente-cinq ans, elle est pas mariée. Où ça s'est vu qu'on est pas marié, à trente-cinq ans, où ça s'est vu ? Pourtant elle est belle : elle mesure un mètre vingt de hauteur, sur un mètre vingt de largeur. Un canus ! Un canus de Tunisie, hein.

Une fois la Viso m'a téléphoné même alors. La Viso des célibataires. Vous connaissez la Viso ? Ils vous ont fait le coup à vous aussi ? Ils m'ont téléphoné, ils m'ont dit : « *Madame Sarfati, on organise le bal annuel des célibataires. On sait que vous avez une petite fille, elle s'appelle Fortunée, elle a trente-cinq ans, elle est pas mariée, on vous a téléphoné en premier.* » Eh merci beaucoup, *yakmardak* ! Qui c'est qui vous a dit tout ça ? Ils m'ont dit : « *On est bien renseignés. On voudrait que la petite vienne dimanche à la fête et, si Dieu le veut, on la marie. Mais avant, il faut qu'elle nous aide à faire les gâteaux, etc.* » J'dis oui, bien sûr, elle va venir, elle sait tout faire. J'lui ai tout appris.

Le dimanche arrive. J'lui ai donné son tablier, j'lui ai bien repassé. J'lui ai donné un kilo de farine, un kilo de sucre... pour le PAF. Le PAF... la Participation aux frais. J'lui ai dit : « *Allez, prends le PAF et vas-y. Y a pas une minute à perdre.* » Elle a pris le PAF, elle est partie à la fête.

Elle voulait rentrer par l'entrée principale avec le PAF. Ils lui ont dit : « *Lalala Fortunée* archouma, *rentre par la cuisine.* » *Mainaïchalia tchikoubara likene*, elle est rentrée par la cuisine, avec le PAF. Les

autres jeunes filles, elles l'ont vue arriver, elles ont enlevé leur tablier, elles l'ont mis de côté, elles lui ont dit : « *Allez Fortunée, à toi de jouer. À toi de jouer !* »

Vas-y qu'elle pétrit la pâte, vas-y qu'elle fait du couscous, vas-y qu'elle leur fait des boulettes, vas-y qu'elle leur fait des boulettes. Vas-y qu'elle leur fait des boul… Quoi ? Vous en avez marre des boulettes ? Hek… voilà des keftas ! Allez mets au four, enlève du four, *chranie-talmout*, une chaleur de folie. Le maquillage, il était pas waterproof, il a tout dégouliné. Allez, amène les plats, débarrasse… elle a même lavé le par terre cette imbécile, qui c'est qui lui a demandé ? Arrivé 3 heures du matin, elle a dit : « *Jusqu'à quelle heure je vais faire la boniche dans la cuisine, moi aussi j'vais passer dans la salle de danse, trouver un mari.* » Elle ouvre la porte de la piste de danse… Tu vois pas qu'y avait plus personne ! Ils se sont tous mariés entre eux. Ils l'ont laissée seule comme une chienne entre quatre murs.

À 4 heures du matin, j'entends les clefs dans la porte. 4 heures, elle a dû trouver. J'me suis levée, j'ai dit : « *Fortunée, viens Fortunée. T'as trouvé un mari ou… ? Ou… là là.* » Elle a dit : « *Là, j'ai pas trouvé de mari à ramener.* » J'ai dit : « *C'est pas grave, c'est pas grave. On va te trouver un mari, on va te trouver. Ne pleure pas. Ne pleure pas, tu vas t'abîmer les yeux. Ne pleure pas, tu vas t'abîmer les… Tiens, pleure pour quelque chose.* »

Elle lui met une gifle.

Une fois, on avait trouvé dans la chambre de Milo un livre avec des femmes toutes nues. C'est pas moi qui l'ai vu, hein, c'est Tata Bahia. Moi, j'ai rien vu. Y avait

dans ce livre la publicité pour un parfum qui attire les hommes. *Dihemnaha*, on a envoyé l'argent, on a reçu le colis discret. Comme ça, discret, très très très très discret. On a dit : « *Fortunée, viens ici il faut qu'on te parle.* » Fortunée elle est arrivée, Tata Bahia elle l'a attrapée, moi j'lui ai vidé la bouteille sur la tête. On lui a dit allez, va t'aérer un peu. Sors de cette maison, bouge un peu, allez. Elle dit : « *Qu'est-ce que vous voulez que je fasse ?* » J'dis : « *Tiens, prends l'argent du pain, va acheter le pain.* »

Elle est partie, il était 11 heures du matin, à 4 heures de l'après-midi, elle était pas revenue. On a dit : « *Ah, ça y est, elle a dû trouver.* » À 5 heures, le téléphone sonne : « *Chkon*, qui c'est ? » C'était l'hôpital : « *Madame Sarfati ?* » J'ai dit : « *Oui c'est moi.* » « *Venez chercher votre fille, Fortunée Sarfati, on l'a trouvée dans la rue inanimée.* » Allez, prends un taxi, payes que tu payes jusqu'à l'hôpital. On arrive à l'hôpital, on la trouve allongée de toute sa masse… sur un lit d'hôpital… meurtrie de partout… un tuyau dans le nez.

J'dis : « *Ah, Fortunée, qu'est-ce qui t'est arrivé que tu nous fais déplacer ? Qu'est-ce que tu fous avec un tuyau dans le nez ? Tu te drogues ?* » Elle dit : « *Je sais pas c'qui m'est arrivé, j'suis sortie dans la rue, j'me suis fait attaquer par une meute de chiens.* » Une meute de chiens, oui. Le parfum avait viré. Même le parfum, il a pas voulu d'elle !

Une fois, oui, une fois elle est venue avec un type. On lui avait dit de rentrer à 5 heures, elle est rentrée à 8 heures avec un type. Moi j'me suis levée…

— *Getla*… Où tu étais ? On te dit de rentrer à 5 heures, tu rentres à 8 heures.

— *Getli*… Ça ne vous regarde pas.

— *Getla*… Ça ne nous regarde pas ? Tu vas nous dire où tu étais tout de suite.

— *Getli*… Je suis majeure et vaccinée.

— *Getla*… Y a pas de vaccinée qui tienne, tu vas nous dire où tu étais.

— *Getli*… Je vous emmerde.

— *Getla*… Tu nous emmerdes ? On est emmerdé que par la merde, *Hek !*

Ah j'étais obligée, ah j'étais obligée…

Elle nous dit :

— Mais enfin, vous voyez pas que je vous présente mon futur mari ?

— Ton futur mari ?

Achekoumsmoula, on s'est mis au garde-à-vous.

— Oui, monsieur, bienvenue, que nous vaut le plaisir de vot' venue ?

Ça l'a impressionné hein ! Il a dit :

— Eh ben, je voudrais me marier avec la main de votre fille Fortunée Sarfati.

J'ai dit : *« Oui, comment vous vous appelez ? »*

Il dit :

— Moi, je m'appelle Jacques Legros.

— Jacques Legros ? Eh… vous n'êtes pas de Tunisie ?

Il a dit :

— Non, je suis pas de Tunisie.

J'dis :

— Vous êtes d'Algérie ?

— Non, je suis du Pas-de-Calais.

J'dis : *« Pas-de-Calais ?* Oualié, *ça doit être un Marocain. »*

— Vous êtes du Maroc au moins ?

— Non, le Pas-de-Calais.

(En criant.)

Il est chez moi, il crie en plus, tu vois : *« Le Pas-de-Calais, c'est au nord de la France. »* J'fais : *« Au nord de*

la France ? » En plus ! Lalalalala… Tu montes au ciel et tu descends, tu prends pas ma fille. Fortunée elle me regardait : « *Pour une fois qu'j'ai l'occasion…* » ; elle voulait me fusiller des yeux. J'dis : « *Qu'est-ce qu'il y a, qu'est-ce qu'il y a ? Qu'est-ce qui te manque ? Tu es nourrie, logée, blanchie, on te donne l'argent de poche… Qu'est-ce qui te manque ? On peut savoir qu'est-ce qui te manque ? Vicieuse.* Adihemnaha, *c'est tout ce qui nous manque maintenant.* »

Écoute, Fortunée, ne pleure pas, ne pleure p… Tu veux pleurer pour quelque chose ? Un jour on va être toi et moi à la maison. On va entendre toquer à la porte… toc toc. *Chkon !…* Qui c'est ? Il va dire : « *C'est M. Cohen.* » « *Oui, Monsieur Cohen, bienvenue, que nous vaut le plaisir de vot' venue ?* » Eh oui, j'en connais qu'une, j'vais pas en inventer, non ? Il va dire : « *Je voudrais me marier avec Fortunée Sarfati pour l'épouser en bon uniforme.* » « *Oui, Monsieur Cohen, oui je vous la donne, oui je vous la marie. Vous pouvez la prendre tout de suite si vous voulez. Y a sa valise qu'est déjà prête dans le couloir.* »

Tu vas te marier avec lui et tu vas avoir douze enfants comme Mémé. Tu es contente ? Tu es contente ou pas ? Allez allez allez, va te coucher, va. Jamais contente celle-là.

Oui il va venir, il va venir M. Cohen, il va venir… Fais la vaisselle en passant, ça va te calmer. Oui, il va venir, il va venir…

Quand c'est qu'il va venir ce M. Cohen ? Quand c'est qu'il va venir ce M. Cohen ?

*

La Danse du ventre

Madame Sarfati défile sur le podium.

Elle enlève son corsage et exécute une danse du ventre.

Elle danse puis se retire dans les coulisses.

*

Le Curé dansant
(mime)

Final

Musique : Jay Dee (remix).

Le curé entre sur scène et défile sur le podium. Il exécute divers mouvements de danse devant le public.

Il retourne en coulisses après avoir fait un mouvement de gymnastique (une roue). Il se place en fond de scène et on lui tend le chapeau de « Jean-Paul Goudier » qu'il pose sur sa tête.

Il reprend le défilé puis se déshabille petit à petit. Il enlève sa soutane en avançant sur la scène, le rideau se referme derrière lui.

Il revient vers le rideau qui s'ouvre à nouveau et se place sur un cube ; il prend la position de l'affiche et le rideau se ferme définitivement.

Fin du spectacle

Le Chorégraphe
(à l'extérieur, avec les danseuses)

Bon, alors, est-ce que tu as compris comment ça va se passer ?

Tu commences ici, d'accord ?

Alors tu es là, hop ! la caméra, elle est sur toi, hop ! tu avances, hop ! tu te retournes, hop ! la deuxième, elle arrive par là, elle arrive… chlac.

Tu as compris la deuxième ? Hein ?

Vous avancez, un, deux, trois, quatre, on bloque.

La troisième elle… la troisième alors, qu'est-ce tu fous ? Voilà et hop hop hop hop !

— Et ce sera quoi la musique, là ?

— Ce sera du raï… *oulakhalame… oukalalala…*

La figuration, ils sont là… Les figurants s'il vous plaît, vous êtes prêts, OK ?

Je suis en curé, c'est pourtant simple, je sors en curé, en soutane, j'enlève la soutane…

— Et qu'est-ce que tu as en dessous la soutane ?

— Un truc très simple : un body léopard avec un cycliste à rayures.

Hop ! je descends, les filles, vous me rattrapez… hop hop hop hop hop ! et on enchaîne…

Fin

24

LE CIRQUE D'HIVER (textes)

Le Taureau
(mime)

Il entre sur la piste, habillé d'un habit académique noir. Il porte deux cornes de taureau sur la tête.

Il parcourt la piste comme un taureau dans une arène et sort.

*

Les Jouets
(ballet)

Six jouets entrent sur la piste :
– une ballerine
– deux soldats de plomb
– un nounours
– un Indien
– un arlequin

Ils sont accompagnés de deux drag queens déguisés en poupée et en Barbie.

L'artiste arrive dans une petite voiture jaune (une Fiat 500 décapotable) et fait le tour de la piste pendant que les jouets s'animent jusqu'à ce qu'il s'arrête, sorte de la voiture avec une petite poupée à la main (représentant le personnage du mannequin en miniature) et débute son sketch.

Il est déguisé en fée avec un grand chapeau pointu.

Puis il sort de la voiture et enfile deux énormes chaussures roses à talons et paillettes.

La Fée

Vous n'avez pas le droit de faire ça. Vous n'avez pas le droit. Je suis la reine. Et je suis la fée aussi. Mais la fée… Carabosse. Celle qui a un château… Un beau château… Tout en merde. Avec des fruits confits dessus.

Qui c'est qui a volé l'argent dans le porte-monnaie de ma maman ?

C'est qui ? Y avait que vous et moi. Alors c'est qui ?

Et qui a volé le collier de Tata Huguette ?

C'est qui ?

(Elle se tourne vers les soldats de plomb.)

Garde-à-vous !

Repooooooooooos…

Garde-à-vous !

Repooooooooooos…

Vous, les *bodyguards* empotés. Je vous avais dit de venir me chercher quand je descends du carrosse.

Je suis la reine. Et je suis la fée. Et vous devez me protéger.

(Elle se tourne vers les poupées.)

Ça va, Barbie ? Et toi, Barbu ?

Allez, embarquez-les pour racolage sur la voie publique.

Allez, virés !

Je suis la fée… Je suis la fée de la télé.

(Elle se tourne vers l'Indien.)

Et toi, l'Indien ? J'ai vu ta chorégraphie. C'était nul…

(Elle le mime en train de danser en mettant sa main sur ses sourcils comme une casquette.)

Comme ça, comme ça… N'importe quoi… Allez, viré !

(Elle se tourne vers l'arlequin.)

Polichinelle ! Venez ici !

(Polichinelle arrive à quatre pattes. Il ne dit rien.)

Tu te tais ! Tu... te... TAIS !

Je vous ai vu faire la chorégraphie, faire des cabrioles... C'était bien... Je suis la fée... Je suis la fée de la télé. Tu veux que je fasse de toi une star ?

(Elle pose sa baguette sur l'épaule de Polichinelle qui dit oui.)

Je peux...

Allez, viré !

Nul, nul, nul !

(Elle se tourne vers la danseuse.)

Toi aussi, virée, copieuse...

(Elle s'assied au milieu de la piste, contre le nounours à qui elle tourne le dos, et parle à sa poupée.)

Y a que toi que j'aime, mon kakounet.

(Elle embrasse la poupée et lui gratte le ventre.)

À qui c'est ça ? À qui c'est ça ?

À qui c'est ça ? À qui c'est ça ?

À qui... Mais qu'est-ce que c'est, ça ?

(Elle sort de sous le vêtement de la poupée un billet de banque. Elle le regarde.)

Mais... C'est toi qui avais mis l'argent dans le porte-monnaie ?

Ah c'était tooooiiii ?

(Elle replace le billet sous le vêtement.)

Tiens. On va le placer là, avec les autres...

Et on va monter à Paris. Hein ?

On va faire une comédie musicale. *La Cigale et la Fourmi.*

Moi je serai la cigale, et toi tu seras la fourmi. Hein ?

Tu colleras les affiches, tu enverras les invits, tu colleras les timbres.

(Elle se lève.)

Et moi je ferai la cigale, je chanterai, je danserai…

(Elle se tourne vers l'ours.)

Viens, Nounours, j'ai un rôle pour toi aussi.

Dans un film… Tu feras les Dents de la mer. Tu veux ? Allez viens…

(Elle s'adresse à la poupée, prend l'ours par le bras et sort de scène en disant :)

Toi tu diras : *« La cigale ayant chanté tout l'été se trouva foooooort dépourvue… »*

*

MADAME SARFATI
(« Allô la police ? »)

Décor oriental avec lumières en forme de mosquées, musique orientale, arrivée de Madame Sarfati... Elle porte un gros panier de provisions bien rempli. Elle traverse la piste et monte sur une scène. Décor d'appartement en formica. Elle ouvre un réfrigérateur géant. À l'intérieur, la porte donne sur une forme de mosquée. La musique s'arrête.

Elle est venue avec vous ?

Ma petite fille... Fortunée...

Elle a dit qu'elle viendrait. Fortunée. Elle a trente-cinq ans, elle est pas mariée. Pourtant, elle est belle...

Elle mesure un mètre vingt de hauteur... sur un mètre vingt de largeur. Un canus !

Maaaiiiis, un canus de Tunisie, hein ?

Bon, on va pas commencer à parler d'elle, parce que j'ai des problèmes familiaux et je dois téléphoner à la police maintenant.

Oui...

La police !

Elle prend le téléphone. Elle tape au moins vingt chiffres sur le clavier, se tourne vers le public et dit : « Oui c'est la nouvelle numérotation... »

Allô... Allô la police ?

Ah ! Bonjour mademoiselle, c'est Madame Sarfati à l'appareil...

Oui, j'ai demandé la police, non, je ne quitte pas...

Oui, j'ai demandé la police, non, je ne quitte pas...

Oui, j'ai demandé la police, non, je ne quitte pas...

Oui, j'ai demandé la police, non, je ne quitte pas.

Ça va, j'ai entendu ! Ils me prennent pour une sourde ou quoi ?

OUI, J'AI ENTENDU !

Ah ! Allô ! La police ?

Allô la police ? Oui, c'est Madame Sarfati à l'appareil.

Allô la police ? Oui, c'est Madame Sarfati à l'appareil.

Allô la police ? Oui, c'est Madame Sarf…

Vous voyez comme c'est énervant !

Eh ben, moi aussi je vous fais pareil ! Ça vous apprendra à vous moquer de moi !

Ça fait une heure que j'essaie de vous appeler.

Pourquoi j'appelle ? Parce que je suis très inquiète, voilà pourquoi j'appelle !

Mon mari a disparu. Oui, mon mari, Monsieur Sarfati. Disparu.

Quoi… ? Mais bien sûr depuis longtemps ! D'habitude il rentre tous les jours à 18 heures. Il est six heures et demie, il est toujours pas rentré. J'ai voulu appeler les hôpitaux, mais j'ai pas le numéro. Comment ? Si je suis quoi ? Blonde ou brune ? Qu'est-ce que ça peut vous faire si je suis brune ou blonde ?

Moi je suis au bord de l'infractus, et lui il me demande si je suis brune ou blonde !

Hein… Quoi ? !!

(Elle l'insulte en arabe et elle raccroche.)

Vous savez ce qu'il m'a dit ?

« Si vous êtes blonde, il a dû partir avec une brune, et si vous êtes brune, il a dû partir avec une blonde… »

(De nouveau, elle l'insulte en arabe.)

Où je vais le trouver maintenant, mon mari ? Vous pouvez me dire où je vais le…

(Le téléphone sonne.)

Ça y est, ils me l'ont retrouvé !

Allô la police ! Alors ? Ça y est, vous l'avez retrouvé ? Déjà ?

Oui c'est moi. Qui c'est ? Les pompiers ? RTL ? La valise RTL ? C'est qui ça, la valise ? Moi je connais pas de valise RTL ! Ah c'est la radio ? Jean-Pierre Foucault ?

Jean-Pierre Foucault ! Vous me voyez ? Je vous aime beaucoup. Oui... Je vous regarde tous les jours à la radio !

Ah, c'est pas... c'est qui ?

Ah, Fabrice ?

(Elle se rassoit, déçue, et fait la moue.)

Fabriiiiiiiice !

Qu'est-ce que vous voulez, Fabrice ?

Combien il y a dans la valise RTL ? Mais comment voulez-vous que je sachhh' ?

Et vous, vous savez pas où est mon mari ?

Non ? Eh ben, alors ?

Bon, ça suffit, repassez-moi Jean-Pierre Foucault ! On va alerter les médias pour retrouver mon mari ! Ah, vous n'avez pas le temps ? Et moi, j'ai le temps peut-être ?!

(Elle raccroche. Elle est énervée.)

(Le téléphone sonne de nouveau.)

Allô ! Ah, c'est toi ? Mais où tu es ? Je me fais un sang d'encre !

(Elle hurle.)

OOOÙÙÙÙÙ ?

La grève des trains ?

Quelle grève des trains ?

Mais non, moi j'étais là toute la journée, j'ai pas vu passer la grève des trains ! Tu attends que ça passe ?

Aaaaaaah ! Tu attends que ça passe… *Hady hamliha !* Ah, il veut me mentir ? Dis-moi, ta grève de trains, elle était blonde ou brune ?

Oui, avoue ! On t'a vu.

La police t'a vu.

JE TE CROIS PAS !

MOI, JE SUIS PRESQUE MORTE, ET LUI IL VA FAIRE ON NE SAIT QUOI AVEC ON NE SAIT QUI !

Alors écoute-moi bien, si tu ne reviens pas TOUT DE SUITE, je raccroche et je refais ma vie avec quelqu'un d'autre et puis c'est tout !

Oui, monsieur ! Je plais aux hommes, figure-toi !

Y a Jean-Pierre Foucault et Fabrice qui me téléphonent à moi.

Oui, monsieur ! Surtout Fabrice, il est fou de moi !

Il m'a téléphoné, il m'a dit : *« Fais ta valise, on s'en va. »*

D'ailleurs, je raccroche, là, et je m'en vais, oui je m'en vais. Dis-moi avant d'être chauve, tu étais blond ou tu étais brun ? Je te pose la question parce qu'ils vont te le demander au commissariat. Tu répondras que je suis partie avec un brun…

(Elle jette un œil du côté du public.)

Non, un grisonnant avec moumoute.

Et… en tout cas… quand tu rentres, si tu me trouves pas, ne t'inquiète pas.

Ah, encore une chose. Il y a des boulettes dans le frigo, si tu as faim.

*

L'Attachée de presse
(« Je dis non »)

Musique disco.

Élie apparaît en attachée de presse. Perruque rousse, manteau imitation fourrure avec le col en léopard et un dossier rouge à la main qu'il serre contre son cœur.

Eh ben alors ? Vous me reconnaissez ?

Je suis l'attachée de presse d'Élie Kakou.

Spectacle coooomiq'. Faut rigoooooler ! On riiiigol' !

(Elle se dandine en rythmant sa phrase.)

Spectac' cooooomiq' ! Oui. Mais… Moi aujourd'hui, j'ai pas envie de rigoler…

Non, non. Non non non. Tttttttttt… Non.

Parce que ça fait un quart d'heure que le spectacle a commencé, et nous, les intermittents du spectacle, on n'a toujours pas été payés. Alors moi je dis non. Non. Je dis NON.

(Elle retourne le dossier et le public découvre qu'au verso est écrit un énorme NON.)

Au nom des intermittents du spectacle, je dis non ! Le spectacle est annulé et vous allez tooouuuuuuuus être remboursés.

Voilà !

Alors, vous allumez les lumières s'il vous plaît, le spectacle est annulé. Non !

(Le public siffle, hurle…)

(Elle brandit son panneau NON.)

Non non non et non !

(Elle descend dans le public.)

Bon. Alors, bon. Encore un mot…

(Elle sort un petit sabre et le brandit au-dessus de sa tête.)

... Et je m'immole avec un sabre...

Comme ça demain y aura marqué dans les journaux que l'attachée de presse d'Élie Kakou s'est fait un *piercing* géant.

Alors encore un mot...

(Elle attend. Le public hurle, conspue.)

Bon. Eh ben tant pis pour vous...

(Elle prend le sabre et, très théâtralement, le place dans sa bouche en relevant la tête comme pour l'avaler. Puis lentement elle l'avale. Centimètre par centimètre. Pour de vrai. Le public exulte. Puis elle le ressort lentement et fait mine de vomir.)

J'y arrive pas...

J'y arrive pas. Je suis désolée, les intermittents du spectacle.

Et toi, Rama ? Faux cul, va !

C'est pas ça que vous disiez dans les coulisses ? Allez. Ils n'ont rien dans les poches, ils n'ont rien dans le slip.

Et en plus j'ai appris qu'il m'imitait. Élie Kakou. Il m'imite.

Il parle comme moi, il marche comme moi.

Il porte une perruque rousse. Il mettait mon manteau.

Il le sait bien qu'on paye les artistes avant qu'ils montent sur scène. Eh ben alors. Alors je lui ai dit, on s'est disputés et maintenant on est fâchés. Il pourra s'accrocher avant que je lui prête mon manteau.

Et oui ! Parce que le manteau, quand il fait l'Attachée de presse, c'est celui-là. Alors on s'est disputés, je lui ai redemandé, il me l'a jamais rendu. D'ailleurs, je ne comprends pas comment on peut porter les vêtements de quelqu'un avec qui on est fâché. Alors non. Il n'y aura pas de sketch de l'Attachée de presse ce soir. Je vous signale que je veux bien être gentille, mais il n'y a pas marqué la Croix-Rouge ici.

(Elle montre son front.)

Je suis allée le récupérer dans la loge et, comme ça, il pourra pas le faire.

Non, non, non, il pourra plus m'imiter. Ça suffit, parce que les gens m'ont dit qu'il m'imite. Ça suffit de m'imiter.

C'est facile : moi aussi je peux l'imiter. *(Elle sort un calot chair.) « Je n'suis pas une star, je n'suis pas une star... »*

À qui il va faire croire ça ?

S'il veut faire croire ça, eh ben, il a qu'à pas fréquenter les stars.

La dernière fois, y a Sylvie Vartan qui est venue le voir dans sa loge. Ils se sont enfermés une demi-heure dans la loge tous les deux. Après ils sont partis manger au restaurant tous les deux. Ils m'ont laissée ici toute seule.

Sylvie Vartan...

(Elle pointe un index vers le public, tortille des fesses et fait mine d'imiter Sylvie Vartan.)

« La Mariza c'est ma prière, comme la terre est la tiennn' »

Hum, elle aussi c'est facile...

Alors bon. Moi je n'suis pas là pour faire du bénévolat et je n'suis pas payée pour ça...

Alors ça va, hein !

Y a pas de raison parce que M. ÉÉÉlie Kakou est dans la loge en train de se reposer, moi je suis là à vous tenir le crachoir.

Alors moi je dis non !

(Elle brandit à nouveau son panneau « NON ».)

JE... DIS... NON !

Moi aussi je sais imiter : c'est facile regardez... Vous voulez que je vous imite Barbara ? Barbara, ça fait plus intello : *« Bien sûr... à Göttingen. »*

Et voilà je peux faire Édith Piaf : *« Mon dieuuuu ! »*

Et Zizi Jeanmaire : *« Mon truc en plumes... »*

(Elle commence à se trémousser. On sent qu'elle a une envie qui presse...)

Excusez-moi deux petites minutes, il faut que j'aille quelque part. *(Elle attend qu'on lui demande où elle va.)*

Non mais vous voulez pas venir avec moi aussi ?

(Elle se dirige vers les coulisses et tend son sous-main à quelqu'un d'imaginaire.)

Il faut que j'y aille ! Eh ! Y a pas marqué bouffon.

(Geste à l'appui sur le front.)

Y a pas écrit Élie Kakou *(Elle montre son front.)*

(Le quelqu'un en question refuse de le prendre.)

Comment non ? Mais vous êtes malade ? Je vous signale que je ne suis pas tenue d'assurer le spectacle pendant que MONSIEUR KAKOU est dans sa loge. Je fais ça juste pour rendre service.

Alors que ce soit clair entre vous et moi. Parce que c'est dans la loi : D'APRÈS LA LOI, ON N'A PAS LE DROIT DE M'EMPÊCHER DE FAIRE MES BESOINS QUAND J'EN AI BESOIN ! ! !

*

La Fourmi

(Il est habillé en fourmi, avec une énorme tête noire, un corps très maigre et deux antennes.)

Un, deux !
Un, deux !
Un... Six ! Six !
Saucisse !

Bon, je vais prendre une douche.

(Il se met en place, la scène devient noire et une douche l'éclaire.)

Je recommence : Bon je vais prendre une douche.

(La lumière se rallume.)

Bon, c'est pas drôle. J'en étais sûr.
Bon. Vous voyez le spot qui est là ?
(Il désigne le spot en question.)
(Au public :)
Ce spot-là, ça s'appelle une douche et, quand je dis que je prends une douche, ça s'allume et hop... Normalement, les gens doivent rire.
(Le public fait mine de s'esclaffer.)
Non, non, mais je sais, c'est nul.
C'est nul...
C'est de sa faute à elle !
Qui ça ? Mais, mon attachée de presse, voyons !
C'est une idée à elle.

Je profite de ce qu'elle est au petit coin pour vous parler parce que... euh...

(Il va voir en coulisses si elle n'arrive pas, puis revient vers le bord de la scène.)

Il faut que je vous dise.

Elle m'oblige à faire des trucs. Contre mon gré.

Par exemple, ce déguisement de fourmi, c'est une idée à elle. Elle a dit que c'est le seul moyen de passer à La Cigale après.

Elle a dit aussi. « *Tu vas voir, les gens vont a-do-rer. Les gens vont buuuurler de rire.* »

Personnellement ça ne me fait pas hurler de rire.

J'ai chaud et je suis mal à l'aise. Elle m'a autorisé à faire deux trous sur les côtés pour respirer.

(Il désigne les deux trous qui laissent passer le bout de ses oreilles.)

Alors bon...

J'espère que Drucker n'est pas dans la salle.

(Il se retourne.)

Vous n'avez pas entendu un bruit de chasse d'eau ?

(Il retourne en catimini voir en coulisses si elle ne revient pas, puis revient vers le bord de la scène.)

Ah... Ouf ! ça va. C'est juste un pompier qui a éternué. Ça va...

Des mois de répétitions pour finir sur scène, déguisé en fourmi. Tiens, ce bracelet-là, vous voyez ?

Vous voyez pas ?

Si, regardez. C'est aussi une idée à elle.

Vous voyez pas ?

Vous ne ratez rien, c'est très moche.

Vous savez ce qu'elle me fait ?

Des crises de jalousie.

L'autre jour, y a Sylvie Vartan qui est venue dans ma loge.

Vous savez pas ce qu'elle a fait, mon attachée de presse ? Elle rentre dans la loge, et je sais pas si elle a lancé une boule puante ou si elle s'est oubliée. On était gênés, mais gênés...

Moi je croyais que c'était Sylvie Vartan, Sylvie Vartan croyait que c'était moi. J'avais honte ! Mais j'avais honte !

J'ai été obligé de l'inviter au restaurant pour changer d'air...

Sylvie, excusez-moi, mais mon attachée de presse est une folle.

Elle m'envoie des lettres anonymes aussi.

Je sais que c'est elle parce qu'y a qu'elle pour signer *« Bisous Bisous »*. Même quand elle invite le ministre de la Culture, elle signe *« Bisous Bisous »*, en plus avec un « Z ».

Et, en plus, je sais que c'est elle parce que c'est son papier à en-tête.

(Il sort une lettre de sa poche et la déplie soigneusement. On voit qu'il s'agit d'une lettre anonyme car les caractères apparaissent par transparence. Irréguliers, car découpés dans des journaux. Et collés un par un.)

(Il lit.)

« Cher Élie,

Je sais tout.

Je sais que tu sais que je sais.

On a tous quelque chose à se reprocher. Paie tes employés ou alors je préviens tous les journaux – et en plus c'est faux, elle dépense tout à la buvette.

Signé : une amie qui te veut du bien. Bizous bizous. Smack. Kiss. Love. Slurp. »

(Il remet la lettre dans sa poche.)

Voilà où j'en suis réduit.

Alors en plus c'est dangereux de contrarier une folle. Elle a fait une alerte à la bombe à partir de MON portable. Je le sais, c'est elle qui l'a, elle ne veut pas me le rendre.

La police a détecté l'appel et c'est moi qu'ils ont accusé !

Elle téléphone à Madagascar pendant des heures sur mon portable parce qu'un GO du Club Med lui a parlé une fois.

Et, le pire, c'est que c'est à moi qu'il parlait.

Il avait un strabisme divergent. Elle était à côté, elle a cru qu'il la regardait. Elle me l'a dit : *« Il a pas arrêté de me regarder pendant tout le temps qu'il te parlait. »*

Ah, je vous ai pas dit, y a un texte qui va avec le costume. Je m'attends au pire.

(Il sort une autre lettre de sa poche. Il la déplie et la lit.)

Elle dit que c'est elle qui l'a écrit. Je vous le lis :

« J'ai changé l'huile de mon moteur. Maintenant, j'ai une vidange… Attendre la fin des rires… Et imiter Barbara. L'aigle noir en fourmi, ça va dégager. »

Barbara… Alors..

(Il se positionne, s'applique. Puis il imite Barbara. Il lève le bras.)

Viens… Sur… a… eine… Noooooon. Tout de mêêêmeu… À Göttingen à Göttingen. Sur… eineu. oh ! Tout de mêêêmeu… Noooooon… Quand mêêêmeu… À Göttingen à Göttingen.

Voilà…

(Il reprend son papier. Il lit.)

« Attendre la fin des applaudissements. Dire merci… »

(Il s'adresse à la salle.)

Merci.

(Il reprend la lecture.)

« ... et profiter de ce que tu es en noir pour faire Édith Piaf... »

(Il imite Édith Piaf.)

Mon Dieuuuuuuuuu ! Mon Dieuuuuuuuu ! Mon Dieuuuuu ! Laissez-le-moi encore un peu, mon amoureuuuuuuuux !

(Il reprend son papier. Il lit.)

« Attendre la fin des applaudissements. Dire merci... »

(Il s'adresse à la salle.)

Merci.

(Il reprend la lecture.)

« Faire un pas à droite et dire chlick, un pas à gauche et dire chlak, et enchaîner sur Zizi Jeanmaire. »

(Il réfléchit.)

Bon alors... Zizi Jeanmaire...

(Il imite Zizi Jeanmaire, mais se casse la voix. Il s'adresse alors au public.)

Bon, je vais vous demander de faire le refrain. D'accord ?

Vous m'aidez, hein ! S'il vous plaît, vous m'aidez... Non parce qu'elle est capable de faire sauter la salle.

Bon, pour le refrain, vous faites : papapalapapalapalapapala...

(Le public enchaîne.)

Stop ! Ça suffit !

Bon je commence...

(Il pousse un cri et lance le public sur le refrain. Il répète l'opération plusieurs fois. Le public entonne et rythme de ses applaudissements.)

(Puis quand la salle est bien chaude…)
Mon truc en plume… Plume de jabot… de… papapala…

(Le public reprend ; des danseurs entrent en scène, vêtus de noir, et dansent avec lui en agitant des plumes tandis qu'il continue à chanter « Mon truc en plumes ».*)*

(Le spectacle est brusquement interrompu par le bruit d'une chasse d'eau que l'on tire, et tout le monde s'enfuit en courant.)

*

Fortunée Sarfati
(« Après j't'explique »)

(Une voix off)
Mesdemoiselles, messieurs, s'il vous plaît... En place pour l'audition...

(Six danseurs arrivent sur la scène et enchaînent sur une chorégraphie de type comédie musicale, rythmée par un air de techno. Ils portent tous de gros numéros sur la poitrine, comme pour une audition. On entend les paroles « The chicken in the house... ».*)*

(Fortunée Sarfati entre en scène à son tour en marchant.)

(Voix off)
Et un et deux et trois et quatre...
Et cinq et six et sept et huit... Tu bloques !
Et un et deux et trois et quatre...
Et cinq et six et sept et huit... Tu bloques !

(Fortunée passe parmi les danseurs et se place au milieu du groupe en mimant une danse orientale. La musique se transforme en musique orientale légèrement teintée de rythmes techno. Fortunée aussi porte un chiffre sur sa poitrine. Elle est aussi présente pour auditionner. Elle danse en faisant tourner son sac.)

(Voix off)
Stop !

(La musique s'arrête... La voix off reprend.)

Bon euh... La brune et les garçons, c'est pas mal. Les autres... euh... On vous écrira !

(Fortunée prend la parole et s'adresse au responsable de casting perdu dans la salle.)

Qu'est-ce que vous nous écrirez ?

Mais qu'est-ce que vous avez à nous dire ?

Ah c'est fini ? Pourquoi vous nous avez pas pris ? Parce qu'on est différents ? Ma parole, je vais appeler SOS Racisme et la Licra, vous allez voir, ça n'va pas se passer comme ça. Et pourquoi vous avez pris les brunes et les maigres ? Et les blondes et les belles, vous nous prenez pas... Je vous fous un procès au cul, vous allez voir ! Oui, je connais très bien le commissaire divisionnaire de la préfecture de police. Et ça va pas se passer comme ça, tu vas voir, t'y as compris... Oui... Comment ça, vous nous écrirez ? Vous avez même pas mon adresse... Vous savez même pas qui je suis.

Fortunée Sarfati... Oui, je suis inscrite sur la liste des auditions.

Sarfati : S-A-R-F-A-T-I. Ben oui, euh, j'ai une formation classique, jazz...

(Elle se dandine un peu.)

... danse contemporaine, danse de caractère...

Oui, je chante, je danse, je fais des comédies musicales...

Comment ?

Oui... trente-cinq ans... Célibataire. Oui, célibataire... C'est moi qui ai pas voulu. Qu'est-ce que je foutrais avec un mec ? Pour lui laver sa culotte... qui crève plutôt.

Oui, j'ai fait de la danse. Oui, j'ai travaillé, oui j'ai de l'expérience... J'ai fait du cabaret... euh... j'ai même

fait la doublure de Sylvie Vartan. Oui, Sylvie Vartan. Faut le faire quand même... Vous savez quand elle fait dans la chanson...

« Et j'ai gravé dans le creux de mon dos... »

(Elle chante et mime avec la main comme si elle allait toucher son dos. Mais elle s'arrête.)

Ils se sont tous moqués de moi parce que je n'arrivais pas à faire le tour de mon dos.

J'ai même fait... une chanson... Comment ça s'appelle déjà ? Une chanson qu'est pas très connute... A capella... Et je commençais de dos.

(Elle se tourne.)

« Je me lève...

(Elle se retourne doucement en chantant.)

... et je te bouscule, tu n'te ré-veill' pas, coooomme d'habiiiii... tud'. Ma maiiiiiin caresse tes cheveuuuuuux... la la la... coooomme d'habiiiii... tud'. »

Etc., etc., etc. T'y as compris le coup ? Après j't'explique.

J'ai même fait une comédie musicale aussi. Oui...

J'ai chanté chez Starmania... Starmania... Oui, c'est moi qui faisais la vendeuse de tomates :

(D'une voix suraiguë :)

« J'ai la tête qui éclat'... J'voudrais seul'ment dormiiiiiir... M'éteeeeendre sur l'asssss... phaltttt'... Et me laisser mouriiiiiir... Grosse... je suis trop grosse... mmmh... mmmh... j'ai la tête qui éclaaaaaaaaaaa... ttt'... »

Etc., etc., etc. T'y as compris le coup ? Après j't'explique.

Où c'est que j'ai fait tout ça ? Ben, à Eurodisney... par exemple.

Oui, ben, je suis allée là-bas un jour, eh ben après ils voulaient même pas me laisser sortir du parc… Ils m'ont dit : « *Fortunée, tu restes… tu restes, tu manges, tu dors, tu pisses… Tu fais tout ce que tu veux, tu restes ici, tu paies rien. Rien que tu mets l'ambiance.* » « *Bon d'accord…* » J'ai dit bon.

Il était 5 heures. J'ai dit bon… J'ai dit j'vais aller boire le thé avec Blanche-Neige et puis c'est tout. Je me suis préparée, j'ai mis ma ceinture dorée, serrée… ma race… J'arrive à la maison de Blanche-Neige, j'attends Blanche-Neige… Pas de Blanche-Neige. Zéro Blanche-Neige.

Qui c'est qu'arrive ? Les sept nains… *der !* Qui c'est qui a la force de faire un couscous pour sept personnes ? Ça va pas, non ? J'ai pris mes cliques et mes claques, j'suis partie. J'm'en fous, c'est eux qui perdent, c'est pas moi.

J'ai téléphoné à Johnny et il est venu me chercher en hélico. Oui… Johnny !

Mais, attends. Je suis une amie de Johnny.

Tu sais, Johnny ? Il a PAS d'ami. Johnny, il a UNE amie. C'est moi !

T'y as compris le coup ? Après j't'explique.

Bon, alors, maintenant, sans déconner… vous me prenez ou pas ? J'ai besoin de travailler, vous comprenez le français ? I NEED THIS JOB.

Vous z'avez pas des PV à faire sauter ? Des PV de voiture…

Ben, si vous avez des PV, vous me les amenez, et moi je m'occupe de… J'les fais sauter. Non, tu m'amènes tes PV, moi je me charge de les faire disparaître. T'y as compris le coup ? Après j't'explique. Je

connais très bien le commissaire divisionnaire de la préfecture de Paris.

Mais j'peux pas t'en parler parce que je ne peux pas le faire à tout le monde.

T'y as compris le coup ? J'te le fais à toi et c'est tout, tu as compris ? Alors tu m'amènes les PV et moi je m'occupe de les faire disparaître.

Bon, il se peut que tu reçoives le rappel... C'est pas grave, tu m'l'amènes aussi. T'as compris ? La feuille blanche... OK ? Après j't'explique...

Bon, si tu reçois la lettre d'huissier avec le récapitulatif de tous les PV doublés, triplés, quadruplés, tu ne t'inquiètes pas. Tu me donnes le nom de l'huissier avec son numéro et le numéro du dossier. Tu m'l'envoies... Après j't'explique... Et moi j'étouffe le poussin dans l'œuf... T'y as compris le coup ?!

Après j't'explique.

Quoi ?

S'ils te saisissent ton compte en b... ? Normalement ils ont pas le droit, hein !

À quelle banque tu es ? Mais je connais très bien le plus grand directeur de cette banque. Mais oui... Mais ton compte j'te l'débloque dans les cinq minutes... T'y as compris le coup ?

Après j't'explique.

Ah... S'ils t'ont retiré de l'argent... Alors là... Alors là, tu m'appelles et tu me donnes la référence de l'huissier...

Avec le numéro et bientôt tu vas recevoir un chèque de remboursement avec une lettre d'excuses de la police, t'y as compris le coup ?

Tu leur donnes mon numéro, ils m'appellent...

Après j't'explique. Ben, ils appellent, j'suis là, j'suis pas là, moi j'm'en fous.

Ils peuvent m'appeler je s'rai pas là... j's'rai déjà partie en tournée...

T'y as compris le coup ?

Après j't'explique...

*

Le Prestibidon

(Élie arrive sur scène en habit de magicien : queue-de-pie, chemise à jabot, nœud papillon et chapeau haut-de-forme. Il porte une canne dans une main et une mallette dans l'autre. Il pose la mallette sur une table.)

And now… ladies and gentlemen… several magical numbers ! And one… brrr… and two… brrr… and three… brrr…

(Il fait apparaître ses doigts les uns après les autres.)

This is not finish, this is not finish. More and more difficult.

(Il fouille dans sa mallette et sort un petit foulard qu'il exhibe. Il le prend dans ses mains par les bords, et on a l'impression que le foulard s'envole dans les airs, porté par une boule volante qu'il recouvre.)

And one… brrr… and two… brrr… and three… brrr…

This is not finish, this is not finish. More and more difficult.

Oh…

(Mais le magicien fait un faux mouvement et découvre la supercherie, le tour est éventé.)

And one… brrr… and two… brrr… and three… brrr…

This is not finish, this is not finish. More and more difficult.

(Il prend la bouteille d'eau qui se trouve sur la table.)

The next number is called : The Disparition of the Water *(dit avec un énorme accent français)*. This is the water *(Il boit au goulot.)*… Water.

(Il sort un énorme shaker et y verse l'eau de la bouteille. L'équivalent d'un verre normal.)

You put some water… Stop !

(Puis il empoigne la canne qui ressemble à une baguette magique et rythme le décompte.)

And one… brrr… *(Il passe la canne au-dessus du shaker.)* and two… brrr… *(Il repasse la canne au-dessus du shaker.)* and three… brrr… *(Il re-repasse la canne au-dessus du shaker. Puis il renverse le gobelet… Plus d'eau !)*

This is not finish, this is not finish.

(Il range le shaker, plonge la main dedans et en sort une éponge qu'il presse pour en extraire l'eau. Le tour est à nouveau éventé…)

More and more difficult.

For the next number, I need two ladies. I need two virgins… More and more difficult.

Vous êtes virgin ? Même pas un p'tit peu, rien ? Et vous, vous êtes virgin ?

Non plus ? Et vous… oui ?

Elle est timide, allez hop ! on y va.

(Il fait monter une jeune femme prise dans le public sur la scène, puis une autre.)

Allez-y, allez allez allez.

What is your name ? What is your name ? Ah, vraiment virgin. Euh… votre nom ? D'accord. You have a boyfriend ? Vous avez un p'tit ami ? Non ? Vous êtes sûre ? Virgin, hein ?

Alors vous mettez les mains derrière le dos. Les mains derrière le dos, on ne bouge plus. Et je voudrais

le plus grand silence s'il vous plaît, c'est très dangereux pour sa virginité.

(Tout en lui parlant, il lui place un genre de serviette de table en tissu à l'intérieur du t-shirt en l'enfilant par le col. Puis il tient l'extrémité de la serviette. Et compte…)

And one… brrr… and two… brrr… and three… brrr…

(Il tire sur l'extrémité de la serviette et fait apparaître le soutien-gorge de la jeune femme attaché à ladite serviette.)

This is not finish, this is not finish.

J'vous le rends après.

More and more difficult : the Disparition of the Money.

(Il place une tasse renversée sur une sous-tasse dans les mains de chacune des deux « virgins » et demande au public :)

Qui a un billet de 100 euros à me prêter ?

(Il tourne autour de la piste… Pas de proposition…)

Bon… Un billet de 20 euros…

(Toujours rien…)

Bon alors, 1 euro alors…

(La foule réagit.)

Bien… Envoyez l'euro s'il vous plaît…

(Les pièces tombent sur la piste. Il commence à les ramasser et appelle en coulisses.)

Brigitte, le balai s'il te plaît…

(Il s'adresse à la foule.)

Bon… Je tenais à vous dire que tout l'argent récolté ira à une œuvre humanitaire.

(Il se rend vers le bord de la piste et ramasse un chéquier.)

Oui… Merci pour le chéquier, merci beaucoup…

(Il place le chéquier dans la mallette. Puis il ramasse une pièce au hasard, la jauge et la montre au public.)

Eh... Oh ! Les pièces jaunes, vous les gardez pour Bernadette, hein !

(Il se tourne vers la seconde « virgin » et place une pièce sous sa tasse.)

Bon alors là, je réclame le silence parce que ce tour is very dangerous for ze virgin, hein !

And one... brrr... *(Il passe la canne au-dessus de la tasse.)*

And two... brrr... *(Il repasse la canne au-dessus de la tasse.)*

And three... brrr... *(Il repasse encore la canne au-dessus de la tasse et part en courant vers la première « virgin » qui tient aussi une tasse. On entend le bruit métallique d'une pièce qui tombe dans une tasse à ce moment. On comprend alors que la pièce est passée d'une tasse à l'autre d'un bout à l'autre de la scène.)*

This is not finish... This is not finish...

And now ze come... back.

And one... brrr... *(Il passe la canne au-dessus de la tasse.)*

And two... brrr... *(Il repasse la canne au-dessus de la tasse.)*

And three... brrr... *(Il re-repasse la canne au-dessus de la tasse et part en courant vers la seconde « virgin » qui tient la tasse sous laquelle la pièce était initialement placée. On entend le bruit métallique d'une pièce qui tombe dans une tasse à ce moment. On comprend alors que la pièce est repassée d'une tasse à l'autre d'un bout à l'autre de la scène. Il soulève alors la tasse, prend la pièce qu'il y avait disposée, et la montre au public...)*

This is not finish... This is not finish... Merci.

(Il récupère les tasses tandis que le son de la pièce qui tombe dans la tasse résonne dans le cirque, comme si la bande était enrayée.)

And now, I need a man. This is a very dangerous number !

(Il scrute la foule.)

Non... Trop bronzé...

Non... Trop gros...

Non... Pas de lunettes...

Non... Là... Trop barbu... Ça peut prendre feu vous savez...

(Finalement il fait entrer un type sur la piste, lui présente une chaise pour qu'il puisse poser sa veste et l'invite à s'asseoir.)

C'est la première fois que vous faites de la magie ?

(Le type répond « oui ».)

Bon ben on va commencer léger alors...

Bon maintenant on se concentre. Vous regardez devant vous...

(Pendant ce temps, il a sorti un couteau suisse de sa poche, ouvre la partie ciseaux, et commence à couper les fils des boutons de la chemise. Les boutons sont alors enlevés l'un après l'autre. Sous l'œil incrédule du type, il lui demande de tendre la main afin qu'il puisse y placer tous les boutons. Le type n'a plus de boutons à sa chemise.)

Ne vous inquiétez pas, tout va se remettre en place...

(Il continue en lui découpant le col de sa chemise... La foule hurle.)

Non ! Tout va se remettre en place. C'est assez surprenant, mais vous allez voir !

(Il continue en lui déchirant les deux manches...)

Ne vous inquiétez pas, on a l'habitude. De toute façon, on a une assurance.

(Il se tourne vers les coulisses.)

Amenez-moi le torchon magique, s'il vous plaît !

(Quelqu'un sort des coulisses et lui apporte une sorte de cape rouge, avec laquelle il recouvre le cobaye.)

Est-ce que vous voyez quelque chose ?

You see something ?

Vous êtes sûr que vous voyez nothing ?

(Il lui balance des coups de poing qui s'arrêtent à deux centimètres de son visage. Le type ne bronche pas.)

Bon… Il ne voit rien.

(Il prend sa canne.)

And one… brrr… *(Il passe la canne au-dessus de la tête du cobaye.)*

And two… brrr… *(Il repasse la canne au-dessus de la tête.)*

And three… brrr… *(Il re-repasse la canne au-dessus de la tête et enlève la cape d'un geste ample. On voit le type toujours dans le même état. Il remet alors la cape sur le type.)*

Je le refais… Je le refais !

(Il se penche vers le type.)

Concentrez-vous un peu s'il vous plaît…

And one… brrr… *(Il passe la canne au-dessus de la tête du cobaye.)*

And two… brrr… *(Il repasse la canne au-dessus de la tête.)*

And three… brrr… *(Il re-repasse la canne au-dessus de la tête et il enlève la cape d'un geste ample. On aperçoit le type toujours dans le même état. Il remet alors à nouveau la cape sur le cobaye et se dirige vers sa mallette. Il en sort un manuel qu'il consulte. Il ne comprend pas. Il s'éponge le front, l'air accablé. Puis il se tourne vers le type qui est recouvert par la cape.)*

C'est un mauvais rêve…

And one… brrr… *(Il parcourt la piste et ramasse les pièces qui s'y trouvent encore.)*

And two… brrr… *(Il continue à ramasser les pièces et s'adresse au public…)*

C'est pour payer la chemise…

And three… brrr… *(Il disparaît en courant vers les coulisses. La lumière éclaire le type alors que la musique retentit pour marquer la fin du numéro. Le type enlève sa cape ; sa chemise est complètement en lambeaux et il constate qu'il n'y a plus personne sur scène. Il court alors vers les coulisses.)*

*

Axelle

Axelle… Je vous ai parlé d'Axelle, ma chienne boxer ? Une chienne, mais une chienne…

Elle avait vécu jusqu'à seize ans. D'habitude, je ne sais pas si vous savez, mais une chienne boxer, ça vit jusqu'à treize ans. Elle, elle a vécu jusqu'à seize ans.

Mais une chienne hyper intelligente. On comprenait tout ce qu'elle disait. Quand je lui servais des fraises en hiver qui n'étaient pas assez sucrées, elle me regardait comme ça…

(Il dodeline de la tête en faisant une grimace de boxer.)

Ça voulait dire : « *Les fraises ne sont pas assez sucrées.* »

Oh, une chienne, mais une chienne…

Elle avait vécu jusqu'à seize ans. D'habitude je ne sais pas si vous savez… Ah je vous l'ai déjà dit, ça ? Ah bon… Au temps pour moi…

Jusqu'au jour où elle a commencé à avoir ses crises…

On lui servait des fraises ? Elle nous regardait et elle faisait…

(Il fait comme s'il vomissait.)

Je lui disais : « Enfin Axelle, qu'est-ce qui vous prend ? »

Elle me fait *(mime du renvoi)*.

Ça voulait dire : « *Prenons un taxi, allons chez le vétérinaire !* »

On prend donc un taxi et on va chez le vétérinaire… On m'avait dit de ne pas aller chez ce vétérinaire-là… On me l'avait dit. Mais bon, j'étais bien obligé, c'était un jour férié.

Dans le taxi, elle me regardait avec ses yeux de biche *(mime du renvoi)*. On arrive chez le vétérinaire, je dis : « *La petite est au plus mal. Mais attention, elle a seize ans. D'habitude les chiennes boxers, ça vit jusqu'à treize ans, mais ça vous le savez. Vous êtes vétérinaire, non ?* »

Il lui fait une piqûre pour la tranquilliser. La petite s'endort…

Je dis : « *Elle va dormir pendant longtemps, docteur ?* »

Il dit : « *Ooooooooooooh, très longtemps !* »

Je dis : « *Qu'avez-vous fait, malheureux ? Elle a vécu jusqu'à seize ans. Elle aurait pu vivre encore six mois ! Cul-terreux, va ! Imbécile ! Vous m'avez tué mon Axelle. Oh noooon !…* »

Heureusement que j'ai eu une guenon après…

*

La Guenon

Comment ça ?... J'vous ai pas parlé de ma guenon ? Une guenon, mais une guenon ! Mais qu'est-ce qu'elle était conne...

Mais on riait, on riait, on riait...

Qu'est-ce qu'on riait avec ma fille. On lui avait confectionné des petites chemises de nuit en coton rose, avec le bonnet assorti et les manches dégagées avec tous les poils qui dépassaient. On aurait dit un travesti au Bois de Boulogne.

On riait... on riait...

Un soir, je sors l'énergumène par la main. Parce que ça a des mains comme animal, ça... Je prends donc l'énergumène par la main, je le fais monter dans la Mercedes, on fait un tour au Bois de Vincennes, et là, en passant à côté du zoo, je sais pas ce qui se passe, je sais pas si c'est l'odeur du mâle... elle me saute sur la tête me tire par les cheveux...

J'avais les cheveux raides comme la justice... Impossible de la déloger... Parce que ça a des mains comme animal. Alors impossible de la déloger. Au feu rouge, tout le monde me regardait avec la guenon sur la tête. Alors je leur ai dit : « Alors quoi ? Vous n'avez jamais vu une Mercedes ? »

Et mes oiseaux de Bengali... Je vous ai déjà parlé de mes oiseaux de Bengali ? Des oiseaux... *(Tandis qu'il continue à parler la lumière s'éteint progressivement.)*

L'Oiseau
(mime)

Il est habillé en noir au milieu de la piste et porte un long bec d'oiseau. Il imite un oiseau qui picore et fait sa toilette.

Le son ambiant est celui d'une volière.

Soudain, on entend comme un grognement de fauve et la lumière s'éteint.

Puis un faisceau se rallume au milieu de la piste. Il éclaire le bec. Rien que le bec... C'est tout ce qui reste de l'oiseau.

*

Le Chat
(mime)

Toujours vêtu de noir, il vient se positionner sur le bord de la piste comme un chat qui rampe. Une chatte apparaît.

*

Acrobate
(mime)

La chatte monte à une corde et exécute un numéro de souplesse en hauteur.

Elle redescend et quitte la piste en rampant.

L'ATTACHÉE DE PRESSE
(Apparition)

Apparaît l'attachée de presse, juchée sur des échasses. Elle mesure plus de deux mètres dix. On le voit car elle est accompagnée d'un homme normalement grand qui lui arrive à peine à la poitrine.

Elle marche normalement, vêtue d'un immense manteau blanc à pois noirs qui lui arrive jusqu'aux pieds ; elle tient son dossier rouge...

Eh ben alors ? On dit rien devant la plus grande attachée de presse du monde ?

Pour le spectacle d'Élie Kakou, vous vous souvenez ? On n'avait pas été payés. Alors j'ai fait un procès. Et j'ai gagné. Et... J'ai changé de manteau. Voilà...

Comme ça, c'est fait. Et maintenant je peux me présenter au casting des défilés de mode. Oui, parce que la dernière fois ils m'ont refoulée pour cinq centimètres.

Alors maintenant je fais deux mètres dix. Ça va chauffer maintenant.

En plus, j'ai été engagée pour faire la publicité pour un produit de beauté.

Eh oui !

Les gens me disent que c'est pas possible, pour être aussi belle, je dois avoir un secret. Et oui j'ai un secret...

Vous croyez pas que ça s'est fait comme ça, non ?

Dégraiss' four, mais le vrai !

Un peu de dégraiss' four... Stop, un peu, ça suffit !

Bon... Le spectacle peut continuer. La presse est arrivée ?

Téléstar ? *Télérama* ? *Télé Magazine* ? *Télé Commande* n'est toujours pas venu ? Y a toujours des petits malins qui me font réserver des places et qui ne viennent pas.

Bon ! Vous pouvez remettre la musique.
Vous pouvez y aller.
Le spectacle continue.
Le show must go on...

(Elle sort de la piste accompagnée par l'homme et la lumière.)

*

Les Baleines
(mime)

Quatre femmes fortes vêtues de mousseline rose défilent sur une musique arabe. Chacune à son tour enlève sa cape en se présentant à la foule.

Puis elles enchaînent sur une danse du ventre.

*

Le Chameau
(mime)

Quelqu'un arrive sur un dromadaire, habillé en femme arabe. Le dromadaire s'assied sur la piste. La femme arabe qui, pour le moment, est voilée, descend du dromadaire, enlève son voile et commence à danser avec les femmes fortes.

On reconnaît alors Fortunée Sarfati.

La musique s'interrompt ; et on entend une voix off : « Merci. On vous écrira. »

Fortunée reste seule sur scène tandis que les femmes fortes sortent en tirant le dromadaire.

*

Fortunée Sarfati en Shéhérazade

Quoi ! Vous allez nous écrire, encore ?
Encore ? Mais ça fait deux fois que vous me dites que vous allez m'écrire !

C'est pas sympa, j'ai fait déplacer mes copines du club Weight Watcher, en plus j'ai loué un chameau.

Vous l'avez reçu ? Le rappel. Le rappel des PV ?
Vous l'avez reçu ?
Quoi ? Ils vous ont saisi le compte ?
Normalement, ils ont pas le droit de faire ça… Mais ils le font !
À quelle banque vous êtes ?

Mais je connais très bien le directeur de cette banque. À chaque fois qu'il me voit, il me dit : *« Fais-moi des boulettes. »*

Alors je te fais débloquer le compte dans un quart d'heure.
T'y as compris le coup ?
Après j't'explique…
Et, si tout se passe bien, dans quinze jours, tu vas recevoir une belle surprise… Un chèque de remboursement avec un mot d'excuse de la police.
T'y as compris le coup ?
Après j't'explique.

(Noir.)

RALLUMEZ ! ! !

Vous voulez vous débarrasser de moi ou quoi ?

J'ai pas terminé.

J'ai oublié de vous préciser une chose... Dans mon *curriculum... vitae...* j'ai travaillé aussi dans des cabarets. Bon, je ne pouvais pas le dire devant mes copines... Donc... j'ai travaillé dans des cabarets où on me demandait de faire des choses... eh bien je les faisais.

Ah oui, parce que je m'adapte. Je faisais tout. Et quand je dis tout, c'est tout !

T'y as compris le coup ?

Après j't'explique.

*

Tam-Tam

Six danseurs en pagne pénètrent sur la scène et dansent sur un air de techno rythmé par des tam-tams africains.

Arrive un personnage de femme avec de grosses lunettes et une longue perruque noire faite de dreadlocks. Son soutien-gorge est constitué de deux noix de coco.

Le personnage vient se mêler aux danseurs. Il tient à la main un balai tout mité. Il commence à invectiver les danseurs et les chasse avec son balai.

Ils auraient tout sali la chambre de M. Kakou.

Monsieur Kakou ? C'est vous ?

(La femme de ménage s'adresse à un Kakou imaginaire.)

C'est la première fois que vous venez à Nouméa ? Ça vous plaît, la Nouvelle-Calédonie ?

Dites-moi, Monsieur Kakou, c'est vous que vous faites des « stetkches » à la télé ?

Yaoundé Wagalogo… Monsieur Kakou ! *(Elle prononce une phrase chantée dans son dialecte.)*

Aaaaaaah ! C'est vouuuuuuuuuus !

Monsieur Kakou, c'est vous que vous faites le « stetkches », le professeur méchant avec les élèves… Vous savez, ici les professeurs, ils frappent les élèves… Ça fait mal ! Aïe… Ils frappent fort, hein ! Eh ben moi, je dis c'est bien. Ils frappent comme ça *(Elle montre.)* et ça fait mal. Comme ça, ils comprennent bien !

Je vous fais la chambre ou c'est pas la peine ? C'est pas la peine ? C'est propre. Ça tombe bien. Parce que mon balai, il est fatigué... Il est comme moi. Depuis qu'on me tire le jus...

Oui, Monsieur Kakou. Ils me tirent le jus.

Oui, pour l'insémination superficielle !

Ils tirent le jus, aïe ! Ça fait mal, Monsieur Kakou. Ça fait mal.

Ils me tirent le jus, ils le mettent dans un verre, ils le mélangent avec le lait de mon mari, après ils me le remettent.

Ouh là là là là... ça fait mal, Monsieur Kakou. Ça fait mal.

Je vous fais le lit ou c'est pas la peine ? Pas la peine !

En plus... Ah... On m'appelle sur mon Tam-Tam *(Elle sort un coquillage de la poche de sa blouse et quelque chose tombe par terre.)*

Allô... Alloa... Alloa... Ça marche pas. On a été coupés...

(Elle remet le coquillage dans la poche.)

En plus... On m'a emboucanée. Dans ma tribu. Elles étaient jalouses de moi... Alors je suis allée voir un marabout qu'on m'avait recommandé.

On était trois cents personnes. On a prié, prié en rond... autour du totem. On a prié, prié, prié !... D'un coup, il y avait un paralysé avec les jambes maigres, maigres... Il s'est levé, il a marché, marché... Avec les jambes maigres... marché, marché... On a dit : « *Aaaaaaaaahh !* » Il est tombé. On a dit : « *Oooooooooh !* » Puis il s'est relevé : « *Aaaaaaaaah !* » Il a marché, marché jusqu'à l'autel et là, on a sacrifié trois poulets et un cochon. J'étais verte. Vous aimez le cochon ?

Je vous fais la salle de bains ou c'est pas la peine ? C'est pas la peine ? Ah, c'est la peine ?

(Elle repart en criant à tue-tête.)

Yaoundé Wagayogo Viakal !

Monsieur Kakou, vous avez déjà goûté les spécialités d'ici ?

La chauve-souris à l'ananas, vous avez g…

Ah non, non, non !

C'est pas des chauves-souris de chez vous… Dégueulasses !

C'est les chauves-souris d'ici… Qui mangent des fruits ! C'est sucré. Alors, si vous voulez, Monsieur Kakou, je vous donne rendez-vous dans la « gwotte » *(la grotte)*. La gwotte ! Comment ? Vous savez pas c'que c'est une gwotte ?

J'ai une gwotte au bord de l'eau, je vous la prête si vous voulez. Je vous passe les clés de la gwotte, et puis moi je vous apporte la chauve-souris là-bas, vous voulez ?

Voilà, vous allez quand vous voulez… Où je les ai mises ?

(Elle cherche dans sa blouse.)

Où j'ai mis les clés d'la gwotte ?

Yaoundé Wagayogo ! Les clés de la grotte ? !

À ce moment la musique reprend et les danseurs reviennent sur la scène. Ils dansent autour de l'un d'entre eux, qui pousse une cage à fauves. Ils y placent Élie, alias la femme de ménage, ferment la porte et tirent un rideau de velours autour de la cage.

Les lumières se concentrent sur la cage. L'un des danseurs retire le rideau de velours.

À la place d'Élie se trouve une panthère qui rugit…

Je ne vous connais pas

Élie apparaît vêtu en femme, avec un manteau bleu électrique à col en boa de la même couleur. Il porte un chapeau cloche orange surmonté d'une énorme plume rose. Il a aussi un verre de champagne à la main.

Excusez-moi de vous déranger.

Bon… Je ne vous connais pas.

Je ne vous ai jamais vu sur scène, mais c'est un ami à moi qui est assis à la table d'à côté et qui m'a dit :

« Lève-toi et va lui demander un autographe. »

Attention, c'est pas pour moi.

Parce que moi, je ne vous connais pas, je ne vous ai jamais vu sur scène… C'est cet ami qui est très timide qui est assis à la table d'à côté et qui m'a dit que vous étiez très drôle…

Je veux bien le croire mais bon… Moi… Je ne vous connais pas.

Je ne vous ai jamais vu sur scène… Attention, cela dit je ne demande qu'à vous connaître, je n'ai rien contre, bien au contraire… Si vous m'envoyez une invitation.

Parce que là, j'irai vous voir avec cet ami qui est très timide et qui ne s'est pas déplacé, mais qui vous connaît. Il vous a déjà vu. Et il m'a dit aussi que c'était très drôle et que je pouvais y aller les yeux fermés.

Donc j'irai vous voir… les yeux fermés.

Mon ami ne s'est pas déplacé parce qu'il est très timide. Enfin, il dit qu'il est très timide, parce que je vais vous dire quelque chose, je ne le connais pas non plus, je l'ai rencontré ce soir et il m'a invitée à dîner dans ce restaurant que je ne connaissais pas, où j'ai goûté quelque chose que je goûtais pour la première fois…

D'ailleurs cet ami qui m'a invitée, mais ne s'est pas déplacé pour venir vous voir et qui s'appelle Robert... euh... Norbert.

(Elle se tourne vers le public.)

Albert ? Albert le pense aussi.

D'ailleurs il a promis de me faire visiter un hôtel que je ne connaissais pas et... Parti comme c'est parti...

D'ailleurs, j'allais partir...

(Elle fait mine de s'éloigner, mais regarde en arrière en attendant qu'on la rappelle. Rien ne vient.)

Mais... Je ne le vois plus...

(Elle cherche partout cet ami dont elle parle, ne le voit visiblement pas, hausse les épaules, et revient.)

J'étais partie pour m'en aller, mais parti comme c'est parti, je crois que je suis partie pour rester. Et je vais m'asseoir, là, à côté de gens que je ne connais pas et comme ça on pourra faire connaissance...

(Elle avise quelqu'un.)

Mais... Je vous connais, vous ! Vous ne vous rappelez pas de moi ? On était à un bal costumé ensemble. J'étais déguisée en poire. Vous ne vous rappelez pas ? J'étais un peu pompette. À cause de tout ce que j'avais bu... On avait tellement bu que les gens faisaient semblant qu'ils ne me connaissaient pas, alors ça m'a énervée, j'ai pris ma voiture et je suis partie. Je me suis fait arrêter par la police. Ils m'ont demandé si je reconnaissais les faits. Je leur ai dit que je ne les connaissais pas et que je n'avais pas l'habitude de souffler dans des ballons de gens que je ne connaissais pas. Ils m'ont emmenée au poste, ils m'ont placée dans une cellule, avec des gens que je... ne connaissais pas. Et que je n'avais pas envie de connaître.

Vous ne vous rappelez pas ? Comme c'est dommage ! Pour une fois que je connaissais quelqu'un...

De toute façon, ce n'est pas vous que je connais. Vous, vous ressemblez à quelqu'un que je connais. Mais… Je ne vous connais pas.

(Elle se tourne ailleurs.)

C'est VOUS que je connais. Oui, vous !

Vous ne vous rappelez pas ? Nous étions à un spectacle. J'étais assise à côté de vous pendant une heure et demie. C'était un spectacle de gens qui n'étaient pas très connus, qui étaient très drôles et qui s'appelaient Les Inconnus. Mais ils étaient pas très connus. Maintenant ils sont connus. Ils ont quand même gardé le nom des Inconnus. Mais ils sont connus. Donc j'étais assise entre vous… Et… À côté de mon père aussi, oui, mon père, que je n'avais pas vu depuis trente-cinq ans, et qui ne m'avait pas reconnue. Et quand j'ai su que c'était mon père, alors j'ai perdu connaissance.

(Elle se dirige sur le bord de la scène, s'assied à côté de spectateurs.)

Bon, ben là, je vais m'asseoir à côté de gens que je ne connais pas. Et j'espère bien qu'on va faire connaissance.

*

Mongola
(« Y m'ont pris la tête »)

Élie arrive en Mongola. Perruque blonde, manteau bleu (sans le boa sur le col). Collants blancs. Jupe ou robe en dessous…

C'est bien ici le cirque Bouglione ?

J'm'appelle Mongola, j'suis une ancienne Claudette. Ben oui. C'est vachement dur quand on a été Claudette pour retrouver du boulot.

Là, je sors d'un casting.

Ils m'ont pris la têêête, mais ils m'ont pris la têêêêêêêête !

Ils voulaient que je joue le premier rôle, dans un film. *Massacre à la tronçonneuse…* Je dis OK.

Ils me poussent dans une pièce, y a une espèce de fou qui me fonce dessus avec une tronçonneuse.

Moi… Hop, hop !

(Elle saute de droite à gauche, de gauche à droite comme pour éviter des tirs.)

Hop ! J'évite !

Moi j'ai fait de la danse. Il fallait rester le plus longtemps possible, c'était payé au minutage.

Hop, hop !

(Elle continue à faire des bonds.)

À un moment, je me tourne… SCHLAAAAAAAACKKK ! Il me chope dans le dos.

IL EST MALADE CE MEC !

(Elle montre son dos.)

Il m'a enlevé un morceau de viande !

Ils m'ont pris la têêête, mais ils m'ont pris la têêêêêêête !

Alors bon, là, j'vous ai préparé un texte... Tiré de *L'École des fans*... de Boileau.

Alors j'y vais...

(Elle rythme son entrée.)

« J'étais sur le balcon à travailler au frais...
Lorsque je vis passer sous les arbres de près
Un jeune hooooomme bien faaaaaaaaait...
Qui, croisant ma vue,
D'une humble révérence aussitôt me salue.
(Elle fait une petite révérence bâclée.)
Moi, pour ne point manquer à la civilité
Je fis la révérence aussi de mon côté.
(Elle fait une nouvelle petite révérence bâclée.)
Soudain, il me refait une autre révérence
Moi j'en refais de même, une autre, en diligence.
(Elle refait une petite révérence bâclée.)
D'une troisièèèèèèème le voici qui repart
D'une troisième aussi je repars à l'instant
Il passe, repasse et, toujours de plus belle,
Me fait chaque fois révérence nouvelle.
Moi qui tout cela fixement regardais
Nouvelle révérence chaque fois lui rendais
Ne voulant point céder
Et recevoir l'ennui qu'il ne puit
M'estimer moins civile que lui.
Le lendemain, sur le pas de notre porte,
Une vieille m'aborde en parlant de la sorte

(Elle s'adresse au public en aparté : "Alors là, je vous fais la vieille, d'accord ?" *Elle se voûte et prend une voix éraillée de sorcière.)*

Mon enfant !
Le bon Dieu puisse-t-il vous bénir

Et dans tous vos attraits, longtemps vous maintenir.
Il ne vous a pas fait une belle personne
Afin de mal user les choses qu'il vous donne
Et vous devez savoiiiiiirrrrr
Que vous avez blessé un cœur
Qui de s'en plaindre est aujourd'hui forcéééééééééé !
(Revenant en actrice.)
Moi ? J'ai blessé quelqu'un, fis-je, toute étonnée.
(En vieille :)
OUAAAAAAAAIIIIIIIIIIS ! Blessé !
Mais blessé tout de bon.
Et c'est l'homme qu'hier, vous vîtes du balcon. »

(Il redevient Mongola)

Voilà… Ça vous a plu ?

Quoi ? C'est pas le genre de la maison ?

Alors c'est quoi, le genre de la maison ? On peut savoir ?

Parce que moi, si vous voulez, je sais faire le grand écart aussi…

(Le public réclame le grand écart…)

Quoi ? Tout le monde sait faire le grand écart ?

Oui, c'est ça, tout le monde sait le faire… Oui, mais moi, je fais le grand écart, mais… sur une pomme !

Et quand je me relève…

Plus de pomme !

*

Le Vendeur de chez Goudier

Élie arrive en manteau bleu. Il est coiffé d'un chapeau qui ressemble à un couvre-chef de Jean-Paul Goudier (un bonnet moulant surmonté d'une tresse). Il porte une valise rouge et noire aux motifs écossais. Il a l'air hyper sérieux, crâneur. Il pose la valise sur une table.

Une musique techno ponctue son arrivée.

Quoi encore, qu'est-ce qu'il y a, articulez quand vous parlez !

Quelles Japonaises ?

Ah, les clientes japonaises ? Mais c'est pas possible, je suis responsable du casting et directeur des ventes ! Et, en plus, c'est moi qui dois m'occuper des clientes japonaises… Vous pouviez pas le dire plus tôt ? Moi ? Maintenant ? Non, vraiment je ne peux pas, j'ai un emploi du temps de fou, je suis surbooké.

Ce que je fais pour être surbooké ? Ça ne vous regarde pas.

Xavier, Pedro, arrêtez de discuter entre les passages. On n'est pas chez Angelina ici !

Et toi, fais attention avec cette veste, je te rappelle qu'elle est signée.

Oui, en l'absence de Jean-Paul Goudier, c'est MOI qui commande ici ! Je suis top-model, directeur des ventes et responsable du casting. Et, en plus, c'est moi qui me tape les clientes japonaises ! Je sais pas si vous voyez ?

Comment ? Si je parle le japonais ?

Non, je ne parle pas le japonais, est-ce que j'ai une tête à parler le japonais ? Allez me chercher Mlle N'Guyen au troisième... pour me faire la traduction !

Oui, ben je m'en fous qu'elle soit vietnamienne, elle se débrouille !

(Il ouvre précieusement sa valise en ronchonnant : « Clientes japonaises... »)

Mademoiselle N'Guyen, vous êtes là ? Oui, dépêchez-vous, venez faire la traduction. Voilà.

Elles sont là, elle attendent.

Elles arrivent. Attention. On y va.

Ah bonsoir... *(Il tend la main, puis se ravise.)*

Euh...

(Il se plie en deux. Sa tête touche presque ses genoux.)

Sayonara... Sayonara...

(Il se tourne et demande :)

Trois fois ?

(À chaque salut, il se plie en deux, très bas.)

Sayonara... Mademoiselle N'Guyen, traduisez...

Quoi ? Si j'aime le Japon ?

Mais je suis né dans un rouleau de printemps... Traduisez !

Demandez-leur plutôt si elles ont aimé la collection ! Ah... Très bien, très bien, de toute façon y a intérêt, y a rien d'autre.

Bon, allez, on y va.

Oui, Xavier, tu es gentil, c'est moi qui vais présenter les modèles. Je suis encore top-model, ça ne se voit pas ?

Les tendances de l'année ?

C'est très très Goudier, quoi, mélanges de matières, mélanges de couleurs, le bon goût, traduisez !

Bon alors, modèle numéro 1...

(Il enlève son manteau.)

Costume de ville en cachemire, de ville, à fines rayures discrètes.

(On découvre qu'il porte une veste à rayures bleues et mauves et un short long moulant en Lycra bleu très sombre, avec deux rayures mauves de chaque côté. Puis il se retourne. Il porte autour du cou une énorme médaille dorée qui lui arrive au milieu du ventre.)

Les hommes doivent revenir à un classicisme chic et discret. Vous savez, chez Goudier, on a horreur des costumes tape-à-l'œil, surtout pour les hommes. Bon, pour les femmes, c'est pas grave, mais pour les hommes, c'est important, traduisez !

On préconise aussi le grand retour du chapeau.

(Il se met une main sur la hanche et bouge comme un mannequin au cours d'un défilé.)

Alors celui-ci... Hop, hop !

(Il tourne la tête et fait balancer la queue de cheval qui se termine en fines franges dorées.)

Vous le connaissez, c'est le modèle de l'année dernière...

(Il l'enlève et le pose dans sa valise. Il en prend un autre.)

Celui-ci, à Paris...

(Il se coiffe d'une Tour Eiffel en mousse de près d'un mètre de hauteur.)

... passe inaperçu... Et passe partout.

Non... Je ne cesserai de dire, c'est sobre, chic et stylisé. Traduisez !

Qu'est-ce qu'elles ont à rigoler comme des gourdes, ces deux-là ? Vous z'êtes pas en train de dire du mal de moi au moins ?

C'est comme ça qu'on dit « stylisé » en japonais ?

Vous êtes sûre ?

Faites très attention, Mademoiselle Tien An Men. Si je suis responsable du recrutement, je suis AUUUUUSSI responsable du licenciement. Traduisez !

Bon alors, vous traduisez ou quoi ?

(Très sec, il se dirige vers la valise.)

Alors modèle suivant. C'est une veste. Enfin, je ne sais pas si on peut appeler ça une veste tellement ce que Goudier a fait est hypra magnifique... Traduisez...

(Il montre une veste qu'il sort de la valise. Puis, dans un grand nuage de talc, il ôte la veste qu'il portait et enfile le modèle numéro 2.)

Admirez le comble du sublime poussé au paroxysme de l'intemporel... Traduisez ! Comment ?

Non. Ce n'est pas la référence, c'est le prix. Traduisez !

... Comble du sublime poussé au paroxysme de l'intemporel... Je vais trop vite ? Vous en êtes OÙ ?

À *« rouleau de printemps »* ? Mais vous vous fichez de qui, Mademoiselle N'Guyen ?

Comble du sublime poussé au paroxysme de l'intemporel...

(Il répète en rythmant chaque syllabe de la main.)

C'est pas sorcier, non ?

Je ne me suis pas fait suer à trouver tout ça pour que vous me cassiez le travail !

Et rajoutez : *« C'est de l'art à l'état pur »*, ça vous apprendra !

Non, je n'ai pas de dictionnaire ! Vous vous débrouillez, vous traduisez !

Et vous, là... apportez-moi un verre d'eau.

Mais non, pas vous, ne traduisez pas ça, idiote !

C'est pas à vous que je parlais ! Mademoiselle N'Guyen... vous comprenez le français, au moins ?

Quoi ? J'en ai rien à faire que vous soyez pompier, moi aussi, j'ai commencé comme ramasseur d'épingles !

Ça y est, elle chiale... Pfffffff... Elle me la joue Cosette.

(Il se tourne vers la traductrice imaginaire.)

En plus, vous pleurez en japonais pour qu'elles comprennent ?

Vous êtes ridicule.

Bon allez... Modèle numéro 3.

(Il enlève la veste numéro 2.)

C'est un imperméable d'intérieur...

(Il sort un peignoir blanc et l'enfile.)

... en Lycra basique. Oui, Goudier habille aussi à l'intérieur.

Admirez le minimalisme et surtout...

(Il ouvre son col et exhibe le bas de son cou.)

... les poils.

Nous, chez Goudier, on aime que les hommes que l'on déshab... que l'on habille soient élégants à l'intérieur ET à l'extérieur. Traduisez !

Bon, alors, qu'est-ce qu'elles veulent ? Elles veulent savoir le prix ?

Ne soyons pas vulgaires, à tout le temps parler d'argent, pour une petite babiole à 2 000 euros. Je vais encore trop vite ? Tant pis pour vous, taisez-vous.

Traduisez.

Elle veulent quoi ? Elles veulent me prendre en photo ?

(Il prend la pose, une main sur la hanche.)

Ben allez-y...

Que j'écarte les jambes ?

(Il écarte les jambes.)

Mais elles m'ont pris pour la tour Eiffel ou quoi ?

C'est trop cher ? Mais qui vous a demandé votre avis à vous ?

Bon, allez, virée ! Ah, c'est pas cher ?

Bon, je préfère, et dites-leur que le cintre n'est pas à vendre.

Bon, d'accord, mais à condition qu'elles achètent toute la collection. OK ? Affaire conclue ?

Les quoi ? Elles préfèrent attendre les soldes ??

Elles sont venues pour les SOLDES ? Les soldes ?

Elles préfèrent réfléchir ? Ah oui, je vois, elles reviennent demain ? Oui, c'est ça…

D'accord, *sayonara*, réfléchissez !

(Il referme nerveusement sa valise en tapant dessus. Puis il se tourne de l'autre côté et se radoucit.)

Mademoiselle N'Guyen…

Vous connaissez Hiroshima ?

Non, même pas en photo ?

Allez ! Suivez-moi dans mon bureau.

*

Le Pantin
(chorégraphie)

Un danseur vêtu de noir entre sur la scène. Il s'agit de Kamel Ouali, le célèbre chorégraphe de la « Star Ac' », *mais bien plus encore de plusieurs comédies musicales, parmi lesquelles* Autant en emporte le vent. *Il n'est pas encore aussi connu qu'aujourd'hui. Il attaque une chorégraphie sur fond de musique techno. Puis il repart, ouvre le rideau d'entrée sur scène et laisse entrer une danseuse qui exécute à son tour un enchaînement. Entrent quatre autres danseuses et danseurs, qui laissent place à Élie Kakou, short cycliste et tee-shirt moulant léopard, chapeau de Jean-Paul Goudier sur la tête. Élie est retenu par des ficelles, accrochées à chacun de ses membres et reliées à un croisillon de pantin.*

Le manipulateur est un géant chaussé d'échasses, déguisé en attachée de presse (manteau long et perruque rousse). Il mesure facilement trois mètres, et fait avancer Élie comme s'il s'agissait d'un pantin ordinaire.

Le couple s'avance. Il exécute un autre genre de chorégraphie, sur la même musique que celle des danseurs précédents.

Puis cinq danseurs reviennent sur scène pour danser avec Élie.

Ils sortent.

Final.

Tous les danseurs et tous les personnages du spectacle montent sur la rambarde qui entoure la piste, sur la musique techno de la dernière partie, ils tournent et préparent une haie d'honneur pour... Madame Sarfati qui danse à son tour en faisant des youyous.

Madame Sarfati
(La Banque suisse)

Madame Sarfati revient.

Pardon, monsieur. C'est bien ici, la Banque de France ? Ah, c'est la Banque suisse. Oooooh ! Je me suis trompée. C'est pas grave, je voulais juste faire la monnaie d'un billet de 100 euros, de toute façon…

(Elle tend un billet virtuel.)

Vous pouvez ? Merci…

(Elle soupire en attendant. Puis elle s'avance, récupère la monnaie.)

Merci. Je peux recompter ? Ça ne vous dérange pas ? Merci…

(Elle compte tout doucement en faisant mine de faire défiler les billets dans sa main.)

1… 2… 3… 4… 5…

(Théâtralement, elle remet les billets dans sa main et recompte.)

1… 2… 3… 4… 5…

(Elle recommence avec emphase…)

1… 2… 3… 4… 5…

(Elle part pour recommencer. Elle s'interrompt.)

Comment ? Si y a le compte ?

Oui. Y a le compte.

Maiiiiiiiiiis…

Juste, juste, juste, hein !

Puis le pantin revient saluer la foule…

Fin du spectacle

25

ÉLIE AU CINÉMA

Élie n'aura malheureusement pas vu sortir le dernier film dans lequel il jouait le rôle principal : *Monsieur Naphtali*[1].

Ce film lui ressemblait bien plus que tous les personnages qu'il avait incarnés pour le cinéma. Il s'inscrit aussi dans l'histoire d'Élie comme un tournant décisif. Non pas de sa carrière cinématographique, qui n'en était qu'aux balbutiements *(voir sa filmographie complète p. 275)*, mais comme un tournant de son existence personnelle. Car le tournage du film fut interrompu par la découverte de sa maladie. Élie déserta le plateau du jour au lendemain pour entrer à l'hôpital et subir une intervention délicate au cerveau. Il n'eut de cesse, dès son réveil, de recouvrer des forces pour achever le travail qu'il avait commencé. Il ne supportait pas l'idée que, par sa faute, un projet qui mettait en jeu le travail de centaines de personnes puisse être suspendu. Cette énergie à repartir au combat décupla ses forces. Il revint quelques semaines plus tard, débordant d'une énergie positive.

---

1. Film d'Olivier Schatzky, sorti le 11 août 1999, *Monsieur Naphtali* raconte l'histoire d'un homme qui ne veut pas grandir et regarde le monde comme un enfant. Élie Kakou y tient le rôle principal. Gilbert Melki le second.

Compte tenu des circonstances, l'échec relatif du film l'aurait certainement meurtri. Toutefois, en admettant que les cinéphiles et les journalistes n'aient pas été tendres avec lui à titre personnel – ce qui ne fut évidemment pas le cas, étant donné les circonstances –, il se serait servi des critiques pour rectifier l'avenir de son parcours cinématographique. Le message serait parvenu à son destinataire. Car les scénarios s'accumulaient sur sa table de chevet. Il pouvait donc choisir sans embarras les costumes qu'il revêtirait. La tragédie l'aurait probablement accaparé plus rapidement que n'importe quel humoriste. Contrairement aux journalistes qui interviewent les comiques, il n'était pas obsédé par la lancinante question : *« Mais quand vas-tu faire ton* Tchao Pantin *? »*. Il n'envisageait aucun plan de carrière. Tout allait si vite. Il se laissait juste guider par le désir – un luxe absolu dans ce métier. Le quotidien était plus que largement assuré. Il n'avait pas à courir le cacheton. Sans calcul.

VII

RIDEAU ?

Hommages

« Avec la disparition prématurée d'Élie Kakou, nous perdons l'un des humoristes les plus talentueux de sa génération, une personnalité étonnante qui, au cinéma, à la télévision comme sur scène, avait su s'imposer auprès des publics les plus larges et les plus diversifiés. Passé maître dans l'art si difficile de faire rire, il savait aussi, comme tous les grands comiques, faire naître d'un rien les plus belles émotions. »

Catherine Trautmann,
ministre de la Culture, 10 juin 1999.

« Élie Kakou est mort. Revoilà le stress et le spleen qui hantent notre quotidien. Un rire, un sourire et un tortillement nous manquent. À trente-neuf ans, ce 10 juin, l'humoriste français a fait ses adieux à notre monde. Les inconditionnels du one-man-show sont orphelins. »

Éditorial de *Maroc-Hebdo*.

L'ASSOCIATION « LES ENFANTS D'ÉLIE »

Après la mort d'Élie, j'ai souhaité qu'une partie de lui survive concrètement. Une fraction qui lui ressemblerait, qui prolongerait l'un de ses rêves.

Sensible à la souffrance des enfants de n'importe quelle origine ou condition sociale, Élie avait souvent émis le souhait de créer une fondation pour leur venir en aide, persuadé du pouvoir bénéfique de la nature et du rire.

Ce fut chose faite quelques semaines après son départ.

Symbole de cette action ? Sindibad[1], le cheval offert à Élie par le roi du Maroc, Sa Majesté Mohammed VI, actuellement au service du centre équestre de Manosque, qui reçoit des enfants de la Ddass.

---

1. Le nom provient de ses origines – une lignée de pur-sang arabes issue des écuries royales du Maroc. Ce cheval fut offert par le roi en personne à Élie, à l'issue de l'un de ses spectacles au Cirque d'hiver. Comme dans la chanson qui nous faisait tant pleurer petits :

Il s'appelait Stewbal / C'était un cheval blanc / Il était mon idole / Et moi j'avais dix ans...

Cet étalon était l'idole d'Élie. Par une de ces coïncidences que nous affectionnons, l'ironie du sort voulut que la plus grande fan du cheval s'appelât... Cindy *(not bad !)*.

L'association a pour objet prioritaire d'honorer la volonté d'Élie, au travers d'actions destinées aux enfants hospitalisés. Les interventions se déroulent en accord et en coordination avec les équipes soignantes, par le biais de spectacles d'artistes (clowns, marionnettistes, magiciens, conteurs...). Elle s'adresse aussi aux enfants défavorisés et/ou souffrant de handicaps, à qui l'association se propose de faire découvrir les joies de la nature, plus spécialement de l'équitation, par le biais de sorties ou de séjours dans des centres équestres agréés.

Pour faire un don, il vous suffit d'envoyer sur papier libre vos nom, prénom, adresse, participation à l'association :

« Les enfants d'Élie »
70 rue Jean-Mermoz
13008 Marseille

(Chèque à l'ordre de l'Association « Les enfants d'Élie ».)

Cette association recevra aussi tous les droits d'auteur perçus pour cet ouvrage.

Épilogue

Le propre d'un roman ou d'une vie inachevés est de permettre à l'imagination d'élaborer une suite aux pointillés qui ont conclu l'histoire.

Au cours des nombreuses évocations qui suivirent le départ d'Élie, les suppositions se succédèrent dans le cercle de nos proches. Le consensus ne fut jamais absolu – preuve que notre frère conservait une part de mystère qui rendait les extrapolations délicates. Même s'il avait esquissé quelques pistes…

« *J'aimerais bien avoir un show à la télévision. Mais rien de régulier, ce serait trop contraignant. Une ou deux émissions par an. Pour m'amuser, amuser le public. La télé, il ne faut pas en être l'employé.* » Toujours ce besoin d'indépendance… Ou encore : « *J'ai bien l'intention de m'ouvrir au continent américain. J'ai envie d'adapter un mime ou deux en anglais. Je favorise avant tout le côté visuel. Je pense que j'ai une tronche qui peut dépasser le côté texte.* »

En guise de conclusion, je me suis amusée à reproduire certains témoignages de proches. Quant à vous, vous possédez dorénavant suffisamment de clés pour vous faire une opinion…

« Je me suis souvent fait la réflexion que l'école à laquelle se référait Élie était davantage celle de Shakespeare que celle de Molière. Il était inquiétant sur scène. Empreint de gravité. Je l'avoue, le curé me faisait peur autant qu'il me déclenchait des fous rires. Comme à un enfant devant l'histoire des trois petits cochons. »

Marie-Caroline,
créatrice et directrice du Point-Virgule.

« Je pense qu'Élie aurait par la suite un peu levé le pied professionnellement, pour se consacrer davantage aux gens qu'il aimait et assouvir sa passion des animaux. Il avait d'ailleurs acheté une ferme dans le sud de la France, avec l'intention de venir souvent s'y reposer, s'y ressourcer et observer à loisir la vie des animaux, dans un remake *réel de l'émission télévisée préférée de son enfance. Inutile de préciser que les oiseaux auraient obtenu une place de choix dans cette petite arche d'Élie. »*

Claudia Ben.

« Si l'on devait oser un pari, je miserais sur un avenir davantage tourné vers le cinéma, la production et le monde du spectacle. Je pense qu'Élie produirait d'autres personnes, qu'il conseillerait d'autres humoristes.

Aurait-il fini aussi par mettre en scène pour le grand écran le meilleur de ses personnages, en leur taillant des rôles sur mesure ? Probablement pas. L'équipe d'un film est trop démesurée pour le niveau de responsabilités qu'il souhaitait conserver. Il avait besoin de connivence avec chacun d'entre nous. Ce qu'il n'aurait jamais eu en tant que metteur en scène. »

Patrick et Laurence,
managers d'Élie.

Une chose est sûre. De là où il est, lui seul détient la réponse. Quoi qu'il fasse, pourvu que d'autres en profitent aussi.

Filmographie

La Vérité si je mens ! (30 avril 1997)

Film de Thomas Gilou avec Richard Anconina, Richard Bohringer, Amira Casar, Vincent Elbaz, Aure Atika, José Garcia, Bruno Solo, Gilbert Melki…

Dans ce film, qui se déroule dans le Sentier parisien, Élie, alias Rafi Styl'Mode, est marié avec Karine (Aure Atika) qui le trompe effrontément.

Ce film, qui a réalisé près de 5 millions d'entrées en France, a donné lieu à une suite, dédiée à la mémoire d'Élie.

Les Kidnappeurs (25 novembre 1998)

Ce film de Graham Guit (qui réalisa aussi *Le Pacte du silence* en 2003), avec Melvil Poupaud, Élodie Bouchez et Romain Duris, raconte une histoire de casses minables aux auteurs pitoyables. Élie y joue le rôle d'un caïd.

Prison à domicile (9 juin 1999, veille de la mort d'Élie)

Dernier film (à ce jour) de Christophe Jacrot, avec Ticky Holgado et Hélène Vincent.

Pour cette œuvre, qui traite du problème du surpeuplement des prisons, Élie campe un commissaire au grand cœur.

Monsieur Naphtali (11 août 1999)

Troisième (et dernier) film d'Olivier Schatzky (auteur du *Complexe du kangourou* en 1986 et de *Force majeure* en 1989). Il offre pour la première fois le rôle principal à Élie Kakou. À ses côtés, on retrouve Gilbert Melki, complice de *La Vérité*... Le film raconte l'histoire d'un homme qui ne veut pas grandir et considère le monde et la vie avec un regard d'enfant. Il ne fut pas épargné par une certaine critique, alors que les spectateurs, mus par le désir de retrouver Élie dans un grand rôle, ne boudèrent pas leur plaisir.

DVD-thèque... (Warner Vision France)

Élie Kakou au Point-Virgule (2001)

Élie Kakou à l'Olympia, déjà ! (2001)

Élie Kakou au Cirque d'hiver (2002)

La TV d'Élie Kakou (mai 2005), regroupe les meilleurs moments de télévision d'Élie.

Imprimé en France
N° d'édition : 831 – N° d'impression : 31895
Dépôt légal : octobre 2005

Cet ouvrage a été composé
par Atlant'Communication
aux Sables-d'Olonne (Vendée)

Impression réalisée sur CAMERON par

BRODARD & TAUPIN

GROUPE CPI

La Flèche (Sarthe)
en septembre 2005
pour le compte des Éditions de l'Archipel
département éditorial
de la S.A.R.L. Écriture-Communication

IV

Élie intime

V

Le dessous des cartes

VI

Élie dans le texte, l'intégrale

VII

Rideau ?

TABLE

Remerciements

Je remercie celles et ceux qui, grâce aux nombreux entretiens qu'ils m'ont accordés, m'ont permis de récolter une mine d'informations sur Élie : Mattéo, Philippe, Marco, Pietro, Isabelle, Patrick, Laurence, Marie-Caroline, Vanille, Stéphane Renard, Sampion Bouglione.

Mes remerciements vont aussi, bien sûr, à tous les membres de la famille Kakou, Nadine, Charlie, Dag, Suzy, et les autres...

Un grand merci à Xavier, enfin, sans qui ce livre n'aurait jamais existé.

Bibliographie

Élie a publié aux Éditions N° 1 (mars 2001), un livre de blagues du Sentier intitulé ***La Vérité, j'te la raconte***.